수학 영역

수능 기초 10일 격파 수학I

10일 동안 공부할 날짜를 정하여 계획에 따라 공부해 보세요.

봉합 모의고사 08~10일차

구성과 활용

미리보기
오늘 학습할 내용을 만화로 미리 살펴볼 수 있게 구성하였습니다.

공부할 내용
해당 일차에서 공부할 내용을 정리하였습니다.

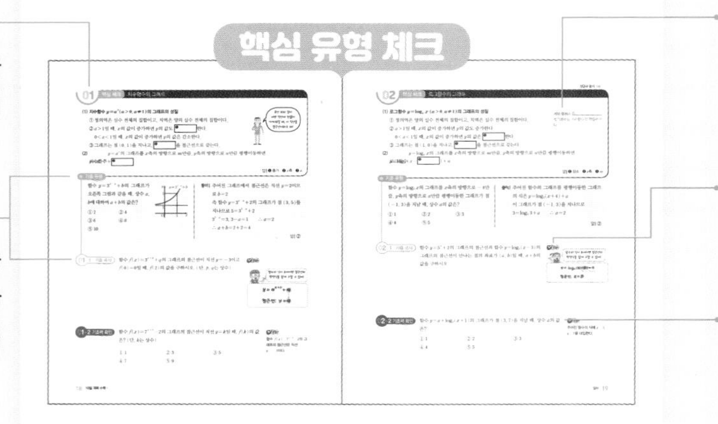

핵심체크
수능에서 다루게 되는 개념을 빈칸 채우기를 이용하여 정리하였습니다.

기출 유형&기출 유사
수능에서 출제되었던 문제를 변형한 기출 유형과 기출 유사를 제시하여 문제를 완벽히 익힐 수 있게 하였습니다.

개념 플러스
조금 어려운 개념이나 보충 설명이 필요한 부분을 정리하였습니다.

Tip
문제를 해결하는데 도움이 되는 내용을 제공하였습니다.

기초력 확인
해당 개념을 이해했는지 확인할 수 있는 문제를 제시하였습니다.

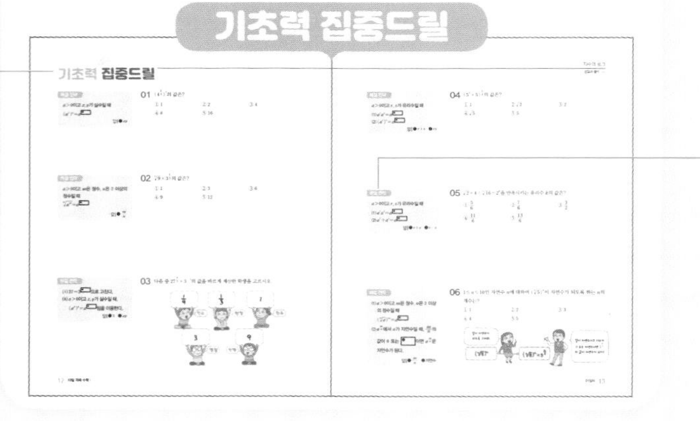

기초력 집중드릴
수능 기출 문제를 변형하여 실제 수능에서 반드시 맞혀야 할 문제를 대비할 수 있게 하였습니다.

해결 전략
문제를 해결하는데 있어 반드시 알아야 하는 내용, 문제에 접근할 수 있는 실마리를 빈칸 채우기를 이용하여 제공하였습니다.

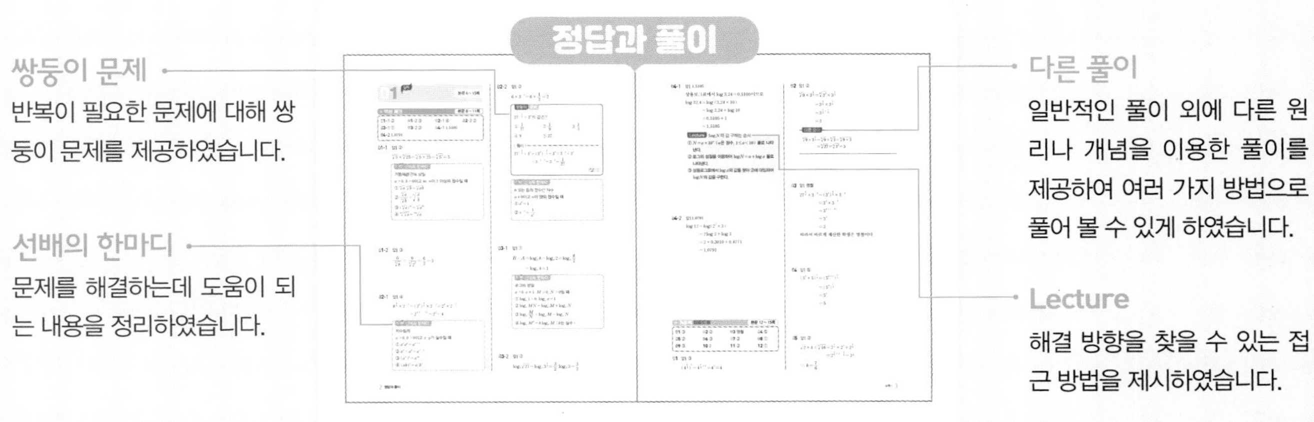

쌍둥이 문제
반복이 필요한 문제에 대해 쌍둥이 문제를 제공하였습니다.

선배의 한마디
문제를 해결하는데 도움이 되는 내용을 정리하였습니다.

다른 풀이
일반적인 풀이 외에 다른 원리나 개념을 이용한 풀이를 제공하여 여러 가지 방법으로 풀어 볼 수 있게 하였습니다.

Lecture
해결 방향을 찾을 수 있는 접근 방법을 제시하였습니다.

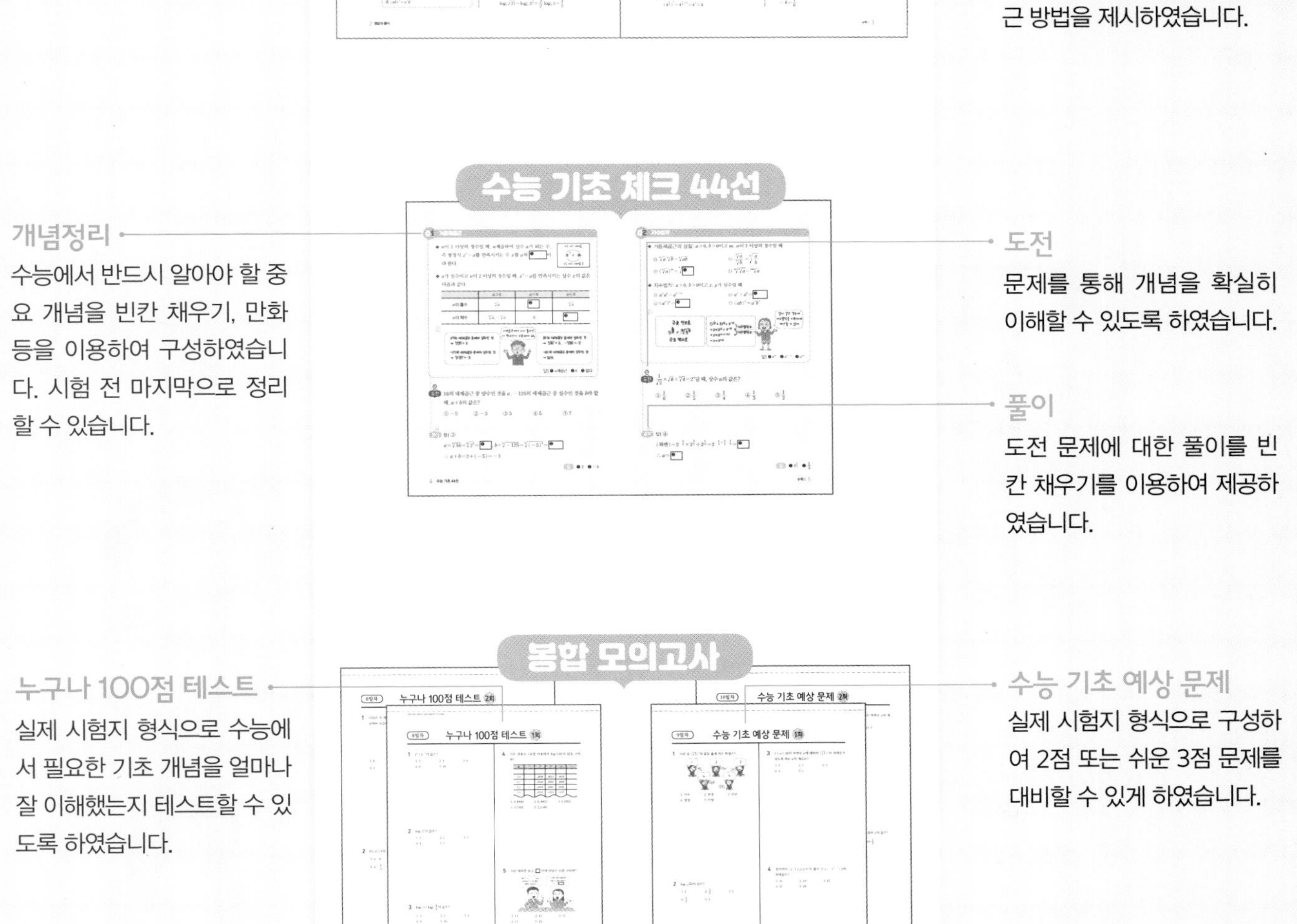

개념정리
수능에서 반드시 알아야 할 중요 개념을 빈칸 채우기, 만화 등을 이용하여 구성하였습니다. 시험 전 마지막으로 정리할 수 있습니다.

도전
문제를 통해 개념을 확실히 이해할 수 있도록 하였습니다.

풀이
도전 문제에 대한 풀이를 빈칸 채우기를 이용하여 제공하였습니다.

누구나 100점 테스트
실제 시험지 형식으로 수능에서 필요한 기초 개념을 얼마나 잘 이해했는지 테스트할 수 있도록 하였습니다.

수능 기초 예상 문제
실제 시험지 형식으로 구성하여 2점 또는 쉬운 3점 문제를 대비할 수 있게 하였습니다.

지수법칙 체험관

지수가 실수일 때의 지수법칙

$a>0, b>0$ 이고 x, y가 실수일 때, 다음 지수법칙이 성립한다.

① $a^x a^y = a^{x+y}$ ② $a^x \div a^y = a^{x-y}$ ③ $(a^x)^y = a^{xy}$

④ $(ab)^x = a^x b^x$ ⑤ $\left(\frac{a}{b}\right)^x = \frac{a^x}{b^x}$

체험 완료

공부할 내용

수	0	1	2	3
1.0	.0000	.0043	.0086	.0128
1.1	.0414	.0453	.0492	.0531
⋮	⋮	⋮	⋮	⋮
2.0	.3010	.3032	.3054	.3075
2.1	.3222	.3243	.3263	.3284

01 핵심 체크 거듭제곱근

(1) **거듭제곱근**: n이 2 이상의 정수일 때, n제곱하여 실수 a가 되는 수, 즉 방정식 $x^n=a$를 만족시키는 수 x를 a의 ❶ [ ] 제곱근이라 한다.

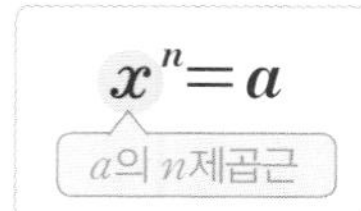

(2) 실수 a의 n제곱근 중 실수인 것은 다음과 같다.

	$a>0$	$a=0$	$a<0$
n이 홀수	$\sqrt[n]{a}$	0	$\sqrt[n]{a}$
n이 짝수	$\sqrt[n]{a}$, ❷ [ ]	0	없다.

(3) **거듭제곱근의 성질**: $a>0$, $b>0$이고 m, n이 2 이상의 정수일 때

① $\sqrt[n]{a}\sqrt[n]{b}=\sqrt[n]{ab}$

② $\dfrac{\sqrt[n]{a}}{\sqrt[n]{b}}=\sqrt[n]{\dfrac{a}{b}}$

③ $(\sqrt[n]{a})^m=\sqrt[n]{❸\ [\ ]}$

④ $\sqrt[m]{\sqrt[n]{a}}=\sqrt[mn]{a}$

답| ❶ n ❷ $-\sqrt[n]{a}$ ❸ a^m

기출 유형

$\sqrt{4}\times\sqrt[3]{8}$의 값은?

① 4 ② 6 ③ 8
④ 10 ⑤ 12

풀이| $\sqrt{4}\times\sqrt[3]{8}=\sqrt{2^2}\times\sqrt[3]{2^3}=2\times2=4$

답| ①

01-1 기출 유사

오른쪽 그림의 두 카드에 적힌 수의 곱은?

① 4 ② 5
③ 6 ④ 7
⑤ 8

TIP
$\sqrt[n]{a}\times\sqrt[n]{b}=\sqrt[n]{ab}$

01-2 기초력 확인

$\dfrac{6}{\sqrt[3]{8}}$의 값은?

① 1 ② 2 ③ 3
④ 4 ⑤ 5

TIP
$\sqrt[3]{a^3}=a$임을 이용하여 분모를 간단히 한다.

· 정답과 풀이 2쪽

02 핵심 체크 거듭제곱근의 계산

(1) **0 또는 음의 정수인 지수**: $a\neq0$이고 n이 양의 정수일 때

① $a^0=$ ❶ [ ]　　② $a^{-n}=\frac{1}{❷[\ ]}$

(2) **유리수인 지수**: $a>0$이고 $m, n(n\geq2)$이 정수일 때

① $a^{\frac{m}{n}}=\sqrt[n]{a^m}$　　② $a^{\frac{1}{n}}=\sqrt[n]{a}$

(3) **지수가 실수일 때의 지수법칙**: $a>0, b>0$이고 x, y가 실수일 때

① $a^xa^y=a^{x+y}$　　② $a^x\div a^y=a^{x-y}$

③ $(a^x)^y=a^{xy}$　　④ $(ab)^x=a^x$ ❸ [ ]

답| ❶ 1 ❷ a^n ❸ b^x

기출 유형

$3^0\times8^{\frac{2}{3}}$의 값은?

① 1　② 2　③ 4
④ 8　⑤ 16

풀이| $3^0\times8^{\frac{2}{3}}=1\times(2^3)^{\frac{2}{3}}=2^2=4$

답| ③

02-1 기출 유사

$8^{\frac{4}{3}}\times2^{-2}$의 값은?

① 1　② 2　③ 3
④ 4　⑤ 5

TIP 밑을 2로 통일시킨 후 지수법칙을 이용한다.

02-2 기초력 확인

6×3^{-1}의 값은?

① 1　② 2　③ 3
④ 4　⑤ 5

TIP $a\neq0$이고 n이 양의 정수일 때, $a^{-n}=\frac{1}{a^n}$

03 핵심 체크 로그의 계산

(1) $a>0$, $a\neq1$일 때, 양수 N에 대하여 등식 $a^x=N$을 만족시키는 실수 x를 기호로 $\log_a N$과 같이 나타내고, a를 밑으로 하는 N의 로그라 한다. 이때 N을 $\log_a N$의 ❶ [ ]라 한다.

(2) **로그의 성질**: $a>0$, $a\neq1$, $M>0$, $N>0$일 때

① $\log_a 1=$ ❷ [ ], $\log_a a=1$

② $\log_a MN=\log_a M+\log_a N$

③ $\log_a \frac{M}{N}=\log_a M-\log_a N$

④ $\log_a M^k=$ ❸ [ ] $\log_a M$ (k는 실수)

답| ❶ 진수 ❷ 0 ❸ k

기출 유형

$\log_2 \frac{2}{3}+\log_2 6$의 값은?

① 1 ② 2 ③ 3
④ 4 ⑤ 5

풀이| $\log_2 \frac{2}{3}+\log_2 6=\log_2\left(\frac{2}{3}\times6\right)=\log_2 4$

$=\log_2 2^2=2$

답| ②

03-1 기출 유사

오른쪽 그림과 같이 민희가 들고 있는 카드 2장에 적힌 수에 대하여 $B-A$의 값은?

① 1 ② 2
③ 3 ④ 4
⑤ 5

TIP
$\log_a M-\log_a N=\log_a \frac{M}{N}$

03-2 기초력 확인

$\log_3\sqrt{27}$의 값은?

① 1 ② $\frac{3}{2}$ ③ 2
④ $\frac{5}{2}$ ⑤ 3

TIP
$\log_a a^k=k\log_a a=k$

· 정답과 풀이 2쪽

04 핵심 체크 상용로그의 계산

(1) **상용로그**: 10을 밑으로 하는 로그를 ❶ ______ 라 하고, 양수 N의 상용로그 $\log_{10} N$은 보통 밑 10을 생략하여 ❷ ______ 과 같이 나타낸다.

(2) **상용로그표**: 0.01의 간격으로 1.00부터 9.99까지의 수에 대한 상용로그의 값을 반올림하여 소수점 아래 넷째 자리까지 나타낸 표

예

수	0	1	…	5	6
1.0	.0000	.0043	…	.0212	.0253
1.1	.0414	.0453	…	.0607	.0645
⋮	⋮	⋮	⋮	⋮	⋮
2.7	.4314	.4330	…	.4393	.4409
2.8	.4472	.4487	…	.4548	.4564

log 2.75의 값을 구하려면 2.7의 가로줄과 5의 세로줄이 만나는 곳에 있는 수를 찾으면 돼. 따라서 log 2.75=0.4393이야.

답| ❶ 상용로그 ❷ $\log N$

기출 유형

다음 상용로그표를 이용하여 log 312의 값을 구하시오.

수	0	1	2	3
3.0	.4771	.4786	.4800	.4814
3.1	.4914	.4928	.4942	.4955
3.2	.5051	.5065	.5079	.5092

풀이| 상용로그표에서 $\log 3.12=0.4942$이므로

$$\begin{aligned}\log 312&=\log(3.12\times100)\\&=\log 3.12+\log 100\\&=0.4942+2\\&=2.4942\end{aligned}$$

답| 2.4942

04-1 기출 유사

다음 상용로그표를 이용하여 log 32.4의 값을 구하시오.

수	…	2	3	4
3.0	…	.4800	.4814	.4829
3.1	…	.4942	.4955	.4969
3.2	…	.5079	.5092	.5105

$\log 32.4$
$=\log(3.24\times10)$
$=\log 3.24+\log 10$

04-2 기초력 확인

$\log 2=0.3010$, $\log 3=0.4771$일 때, $\log 12$의 값을 구하시오.

$\log 12=\log(2^2\times3)$
$=2\log 2+\log 3$

기초력 집중드릴

해결 전략

$a>0$이고 x, y가 실수일 때

$(a^x)^y=a^{\boxed{❶}}$

답| ❶ xy

01 $(4^{\frac{1}{3}})^3$의 값은?

① 1 ② 2 ③ 4
④ 8 ⑤ 16

해결 전략

$a>0$이고 m은 정수, n은 2 이상의 정수일 때

$\sqrt[n]{a^m}=a^{\boxed{❶}}$

답| ❶ $\frac{m}{n}$

02 $\sqrt[3]{9}\times 3^{\frac{1}{3}}$의 값은?

① 1 ② 3 ③ 6
④ 9 ⑤ 12

해결 전략

(i) $27=3^{\boxed{❶}}$으로 고친다.

(ii) $a>0$이고 x, y가 실수일 때,

$(a^x)^y=a^{\boxed{❷}}$임을 이용한다.

답| ❶ 3 ❷ xy

03 다음 중 $27^{\frac{4}{3}}\times 3^{-3}$의 값을 바르게 계산한 학생을 고르시오.

해결 전략

$a>0$이고 r, s가 유리수일 때

(1) $a^r a^s = a^{❶\square}$

(2) $(a^r)^s = a^{❷\square}$

답 | ❶ $r+s$ ❷ rs

04 $(5^3 \times 5)^{\frac{1}{4}}$의 값은?

① 1 ② $\sqrt{2}$ ③ 2
④ $\sqrt{5}$ ⑤ 5

해결 전략

$a>0$이고 r, s가 유리수일 때

(1) $a^r a^s = a^{❶\square}$

(2) $a^r \div a^s = a^{❷\square}$

답 | ❶ $r+s$ ❷ $r-s$

05 $\sqrt{2} \times 4 \div \sqrt[3]{16} = 2^k$을 만족시키는 유리수 k의 값은?

① $\frac{5}{6}$ ② $\frac{7}{6}$ ③ $\frac{3}{2}$
④ $\frac{11}{6}$ ⑤ $\frac{13}{6}$

해결 전략

(1) $a>0$이고 m은 정수, n은 2 이상의 정수일 때
$(\sqrt[n]{a})^m = a^{❶\square}$

(2) $a^{\frac{m}{n}}$에서 a가 자연수일 때, $\frac{m}{n}$의 값이 0 또는 ❷☐ 이면 $a^{\frac{m}{n}}$은 자연수가 된다.

답 | ❶ $\frac{m}{n}$ ❷ 자연수

06 $1 \le n \le 10$인 자연수 n에 대하여 $(\sqrt[3]{5})^n$이 자연수가 되도록 하는 n의 개수는?

① 1 ② 2 ③ 3
④ 4 ⑤ 5

밑이 자연수가 되도록 고쳐봐.
$(\sqrt[3]{5})^n$
$(\sqrt[3]{5})^n = 5^{\frac{n}{3}}$
밑이 자연수이고 지수가 0 또는 자연수이면 $5^{\frac{n}{3}}$의 값이 자연수가 되지!

기초력 집중드릴

해결 전략

$a>0$, $a\neq1$, $N>0$일 때

$a^x=N \Longleftrightarrow x=$ ❶ $\square$

답| ❶ $\log_a N$

07 $\log_2 a=3$일 때, 양수 a의 값은?

① 4　② 8　③ 12　④ 16　⑤ 20

해결 전략

$a>0$, $a\neq1$, $M>0$, $N>0$일 때

(1) $\log_a a=$ ❶ $\square$

(2) $\log_a M+\log_a N$
$=\log_a$ ❷ $\square$

답| ❶ 1　❷ MN

08 $\log_6 2+\log_6 3$의 값은?

① 1　② 2　③ 3　④ 4　⑤ 5

해결 전략

$a>0$, $a\neq1$, $M>0$이고 k가 실수일 때

(1) $\log_a a=$ ❶ $\square$

(2) $\log_a M^k=$ ❷ $\square$ $\log_a M$

답| ❶ 1　❷ k

09 $\log_3(9\times27)$의 값은?

① 1　② 3　③ 5　④ 7　⑤ 9

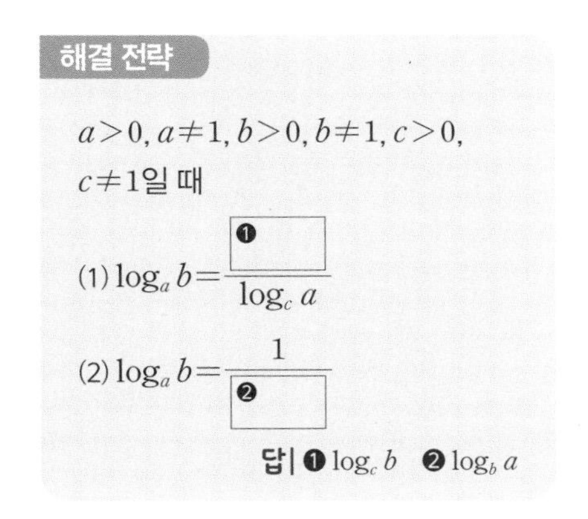

해결 전략

$a>0, a\neq1, b>0, b\neq1, c>0,$
$c\neq1$일 때

(1) $\log_a b=\dfrac{\boxed{❶}}{\log_c a}$

(2) $\log_a b=\dfrac{1}{\boxed{❷}}$

답| ❶ $\log_c b$ ❷ $\log_b a$

10 다음을 읽고, $\dfrac{1}{\log_4 6}+\dfrac{2}{\log_3 6}$의 값을 구하시오.

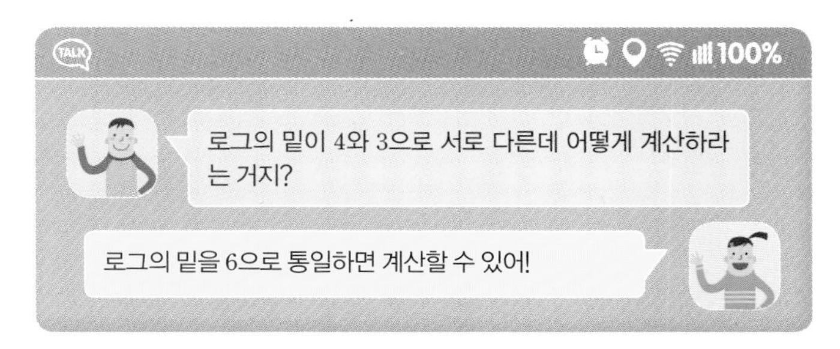

해결 전략

$\log A=k$일 때

$\log(A\times10^n)$

$=\boxed{❶}+\log10^n$

$=k+\boxed{❷}$

답| ❶ $\log A$ ❷ n

11 $\log1.21=a$일 때, $2\log11$을 a로 나타내면?

① $a+1$ ② $a+2$ ③ $a+3$
④ $a+4$ ⑤ $a+5$

해결 전략

$\log6.14$의 값은 상용로그표에서 6.1의 가로줄과 ❶ ☐ 의 세로줄이 만나는 곳의 수를 찾으면 된다.

⇨ $\log6.14=\boxed{❷}$

답| ❶ 4 ❷ 0.7882

12 다음 상용로그표를 이용하여 $\log\sqrt{6.14}$의 값을 구하면?

수	⋯	4	5	6
⋮	⋮	⋮	⋮	⋮
5.9	⋯	.7738	.7745	.7752
6.0	⋯	.7810	.7818	.7825
6.1	⋯	.7882	.7889	.7896

① 0.3941 ② 0.7882 ③ 1.3941
④ 1.7882 ⑤ 2.3941

02 일차

이제 지수, 로그는 확실히 알 것 같아!

이번에는 지수함수와 로그함수를 체험해 볼까?

매일 매일 공부하는 미리보기

1일차 2일차 3일차 4일차

공부할 내용

5일차
6일차
7일차
로그함수 체험관
지수와 로그는 서로 관련이 있다고 배웠는데 지수함수와 로그함수도 그럴까?
응. 맞아! 로그함수와 지수함수는 서로 역함수 관계에 있거든.
아하! 그렇다면 지수함수의 그래프를 이용하여 로그함수의 그래프를 그릴 수 있을 것 같아.
그리고 로그함수는 천문학 분야 등과 같이 매우 큰 수를 다룰 때 유용하대.
맞아요. 그 외에도 로그함수는 항공기 소음, 지진의 세기 등을 측정할 때에도 활용되죠. 로그함수의 그래프는 지수함수의 그래프를 직선 $y=x$에 대하여 대칭이동하면 쉽게 그릴 수 있죠.
로그함수 $y=\log_a x\,(a>0,\ a\neq 1)$의 그래프
$a>1$
$y=a^x$
$y=x$
$y=\log_a x$
$0<a<1$
$y=x$
$y=a^x$
$y=\log_a x$
체험 완료

01 핵심 체크 지수함수의 그래프

(1) 지수함수 $y=a^x(a>0, a\neq 1)$의 그래프의 성질

① 정의역은 실수 전체의 집합이고, 치역은 양의 실수 전체의 집합이다.

② $a>1$일 때, x의 값이 증가하면 y의 값도 ❶ ______ 한다.

$0<a<1$일 때, x의 값이 증가하면 y의 값은 감소한다.

③ 그래프는 점 $(0, 1)$을 지나고, ❷ ______ 을 점근선으로 갖는다.

(2) 지수함수 $y=a^x$의 그래프를 x축의 방향으로 m만큼, y축의 방향으로 n만큼 평행이동하면

$y=a^{x-m}+$ ❸ ______

답| ❶ 증가 ❷ x축 ❸ n

기출 유형

함수 $y=3^{x-a}+b$의 그래프가 오른쪽 그림과 같을 때, 상수 a, b에 대하여 $a+b$의 값은?

① 2　② 4
③ 6　④ 8
⑤ 10

풀이| 주어진 그래프에서 점근선은 직선 $y=2$이므로 $b=2$

즉 함수 $y=3^{x-a}+2$의 그래프가 점 $(3, 5)$를 지나므로 $5=3^{3-a}+2$

$3^{3-a}=3$, $3-a=1$　$\therefore a=2$

$\therefore a+b=2+2=4$

답| ②

01-1 기출 유사

함수 $f(x)=3^{x+p}+q$의 그래프의 점근선이 직선 $y=-3$이고 $f(0)=0$일 때, $f(2)$의 값을 구하시오. (단, p, q는 상수)

함수의 식이 주어지면 점근선의 방정식을 쉽게 구할 수 있어!

$y=a^{x+p}+q$

점근선: $y=q$

01-2 기초력 확인

함수 $f(x)=7^{x+3}-2$의 그래프의 점근선이 직선 $y=k$일 때, $f(k)$의 값은? (단, k는 상수)

① 1　② 3　③ 5
④ 7　⑤ 9

함수 $f(x)=7^{x+3}-2$의 그래프의 점근선은 직선 $y=-2$이다.

· 정답과 풀이 5쪽

02 핵심 체크 로그함수의 그래프

(1) 로그함수 $y=\log_a x$ $(a>0, a\neq1)$의 그래프의 성질

① 정의역은 양의 실수 전체의 집합이고, 치역은 실수 전체의 집합이다.

② $a>1$일 때, x의 값이 증가하면 y의 값도 증가한다.

$0<a<1$일 때, x의 값이 증가하면 y의 값은 ❶ ______ 한다.

③ 그래프는 점 $(1, 0)$을 지나고, ❷ ______ 을 점근선으로 갖는다.

(2) 로그함수 $y=\log_a x$의 그래프를 x축의 방향으로 m만큼, y축의 방향으로 n만큼 평행이동하면

$y=\log_a (x-$ ❸ ______ $)+n$

개념 플러스
로그함수는 지수함수의 역함수이다.

답| ❶ 감소 ❷ y축 ❸ m

기출 유형

함수 $y=\log_3 x$의 그래프를 x축의 방향으로 -4만큼, y축의 방향으로 a만큼 평행이동한 그래프가 점 $(-1, 3)$을 지날 때, 상수 a의 값은?

① 1 ② 2 ③ 3
④ 4 ⑤ 5

풀이| 주어진 함수의 그래프를 평행이동한 그래프의 식은 $y=\log_3(x+4)+a$

이 그래프가 점 $(-1, 3)$을 지나므로

$3=\log_3 3+a$ $\quad\therefore a=2$

답| ②

02-1 기출 유사

함수 $y=5^x+2$의 그래프의 점근선과 함수 $y=\log_5(x-3)$의 그래프의 점근선이 만나는 점의 좌표가 (a, b)일 때, $a+b$의 값을 구하시오.

TIP

$y=\log_a(x-p)+q$
↳ $x-p=0$

점근선: $x=p$

02-2 기초력 확인

함수 $y=a+\log_2(x+1)$의 그래프가 점 $(3, 7)$을 지날 때, 상수 a의 값은?

① 1 ② 2 ③ 3
④ 4 ⑤ 5

TIP
주어진 함수의 식에 $x=3$, $y=7$을 대입한다.

03 핵심 체크 지수함수와 로그함수의 최대 · 최소

정의역이 $\{x|m \le x \le n\}$인 지수함수 $y=a^x$과 로그함수 $y=\log_a x$의 최댓값과 최솟값은 a의 값의 범위에 따라 다음과 같다.

	지수함수 $y=a^x$	로그함수 $y=\log_a x$
$a>1$	최솟값: $x=m$일 때, ❶ [ ] 최댓값: $x=n$일 때, a^n	최솟값: $x=m$일 때, $\log_a m$ 최댓값: $x=n$일 때, ❷ [ ]
$0<a<1$	최솟값: $x=$ ❸ [ ] 일 때, a^n 최댓값: $x=m$일 때, a^m	최솟값: $x=n$일 때, $\log_a n$ 최댓값: $x=m$일 때, $\log_a m$

답 | ❶ a^m ❷ $\log_a n$ ❸ n

개념 플러스

두 함수 $y=a^x$, $y=\log_a x$에서

① $a>1$이면 증가함수

② $0<a<1$이면 감소함수

기출 유형

정의역이 $\{x|1 \le x \le 3\}$인 함수 $f(x)=2^{x-1}+5$의 최댓값은?

① 5 ② 6 ③ 7 ④ 8 ⑤ 9

풀이 | 함수 $f(x)=2^{x-1}+5$에서 밑 2는 1보다 크므로 함수 $f(x)$는 증가함수이다.
따라서 최댓값은 $x=3$일 때
$f(3)=2^2+5=9$

답 | ⑤

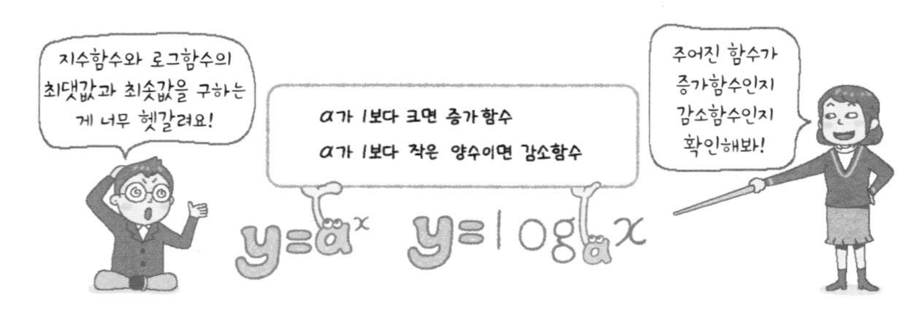

03-1 기출 유사 정의역이 $\{x|2 \le x \le 4\}$인 함수 $f(x)=\log_3(x-1)-2$의 최댓값은?

① -2 ② -1 ③ 0 ④ 1 ⑤ 2

TIP 주어진 함수에서 밑 3은 1보다 크므로 함수 $f(x)$는 증가함수이다.

03-2 기초력 확인 정의역이 $\{x|1 \le x \le 3\}$인 함수 $f(x)=\left(\frac{1}{7}\right)^x$의 최댓값은?

① $\frac{1}{49}$ ② $\frac{1}{7}$ ③ 7 ④ 49 ⑤ 343

TIP 주어진 함수에서 밑 $\frac{1}{7}$은 1보다 작은 양수이므로 함수 $f(x)$는 감소함수이다.

· 정답과 풀이 6쪽

04 핵심 체크 지수·로그방정식과 부등식

(1) **지수방정식과 로그방정식:** $a>0$, $a\neq1$일 때

지수방정식 $a^{f(x)}=a^{g(x)}$	로그방정식 $\log_a f(x)=\log_a g(x)$
❶ ☐ $=g(x)$	$f(x)=$ ❷ ☐ , $f(x)>0$, $g(x)>0$

(2) **지수부등식과 로그부등식**

	지수부등식 $a^{f(x)}<a^{g(x)}$	로그부등식 $\log_a f(x)<\log_a g(x)$
$a>1$	$f(x)<g(x)$	$0<f(x)<g(x)$
$0<a<1$	$f(x)$ ❸ ☐ $g(x)$	$f(x)>g(x)>0$

지수부등식과 로그부등식에서 밑이 1보다 작은 양수이면 부등호의 방향이 바뀐다는 것에 주의해!

답| ❶ $f(x)$ ❷ $g(x)$ ❸ $>$

기출 유형

방정식 $\log_2(x+5)=4$의 해가 $x=k$일 때, k의 값을 구하시오.

풀이| $\log_2(x+5)=4$에서 $\log_2(x+5)=\log_2 2^4$

즉 $x+5=2^4=16$이므로 $x=11$

$\therefore k=11$

답| 11

04-1 기출 유사 부등식 $2^{x-2}\leq8$을 만족시키는 모든 자연수 x의 값의 합을 구하시오.

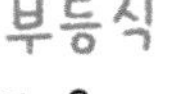

04-2 기초력 확인 방정식 $\left(\frac{1}{4}\right)^{-x}=16$을 만족시키는 실수 x의 값은?

① -2　② -1　③ 1
④ 2　⑤ 3

TIP 밑을 4로 같게 만든다.

기초력 집중드릴

해결 전략

함수 $y=f(x)$에 대하여 $f(a)$의 값은 $x=$ ❶ ☐ 일 때의 함숫값이다.

답| ❶ a

01 함수 $f(x)=5^{x-1}+2$에 대하여 $f(1)$의 값은?

① 1 ② 2 ③ 3
④ 4 ⑤ 5

해결 전략

지수함수 $y=a^{x-m}+n$의 그래프의 점근선은 직선 $y=$ ❶ ☐ 이다.

답| ❶ n

02 함수 $y=2^{x-1}+3$의 그래프의 점근선이 직선 $y=a$일 때, 상수 a의 값은?

① 1 ② 2 ③ 3
④ 4 ⑤ 5

해결 전략

곡선 $y=a^x(a>0,\ a\neq1)$이 직선 $x=k$와 만나는 점의 좌표는

(1) x좌표는 ❶ ☐ 이다.

(2) y좌표는 $y=a^x$에 $x=$ ❷ ☐ 를 대입하면 구할 수 있다.

답| ❶ k ❷ k

03 곡선 $y=\left(\frac{1}{3}\right)^x$과 직선 $x=-2$의 교점의 좌표가 $(a,\ b)$일 때, $a+b$의 값은?

① 4 ② 5 ③ 6
④ 7 ⑤ 8

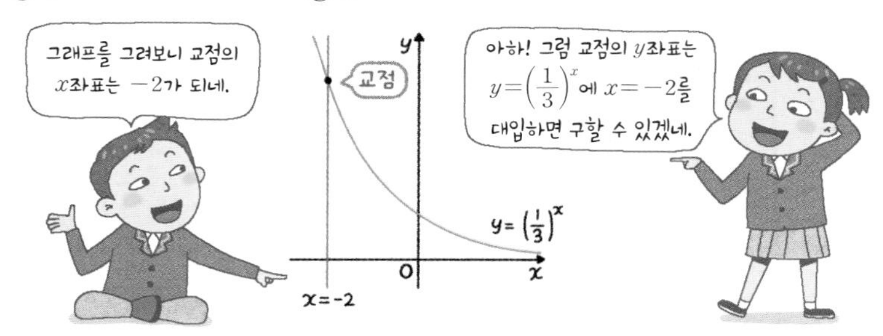

해결 전략

정의역이 $\{x \mid m \le x \le n\}$인 함수 $f(x)=a^x\ (a>1)$에 대하여

(1) 최댓값: $f($ ❶ $)=a^n$

(2) 최솟값: $f(m)=$ ❷

답| ❶ n ❷ a^m

04 정의역이 $\{x \mid -1 \le x \le 5\}$인 함수 $f(x)=2^{x-3}$의 최댓값은?

① 4 ② 5 ③ 6
④ 7 ⑤ 8

해결 전략

정의역이 $\{x \mid m \le x \le n\}$인 함수 $f(x)=a^x\ (0<a<1)$에 대하여

(1) 최댓값: $f($ ❶ $)=a^m$

(2) 최솟값: $f(n)=$ ❷

답| ❶ m ❷ a^n

05 오른쪽 대화를 읽고, 화면에 나타나는 값을 구하시오.

해결 전략

정의역이 $\{x \mid m \le x \le n\}$인 함수 $f(x)=\log_a x\ (a>1)$에 대하여

(1) 최댓값: $f(n)=\log_a$ ❶

(2) 최솟값: $f($ ❷ $)=\log_a m$

답| ❶ n ❷ m

06 정의역이 $\{x \mid 0 \le x \le 4\}$인 함수 $f(x)=\log_5(x+1)-2$의 최댓값을 M, 최솟값을 m이라 할 때, Mm의 값은?

① -2 ② -1 ③ 0
④ 1 ⑤ 2

기초력 집중드릴

해결 전략

함수 $f(x)=\left(\frac{1}{2}\right)^{x+a}$에서 밑 $\frac{1}{2}$은 1보다 작은 양수이므로 ❶ ☐ 함수이다.

답| ❶ 감소

07 정의역이 $\{x\,|\,-2\leq x\leq 4\}$인 함수 $f(x)=\left(\frac{1}{2}\right)^{x+a}$의 최솟값이 $\frac{1}{8}$일 때, 상수 a의 값은?

① -2　　② -1　　③ 0
④ 1　　⑤ 2

해결 전략

함수 $f(x)=\log_{\frac{1}{2}}(x+a)$에서 밑 $\frac{1}{2}$은 1보다 작은 양수이므로 ❶ ☐ 함수이다.

답| ❶ 감소

08 정의역이 $\{x\,|\,2\leq x\leq 6\}$인 함수 $f(x)=\log_{\frac{1}{2}}(x+a)$의 최댓값이 -2일 때, 상수 a의 값은?

① 1　　② 2　　③ 4
④ 8　　⑤ 16

해결 전략

함수 $y=a^x$ $(a>0,\ a\neq 1)$의 그래프가 직선 $y=k$ $(k>0)$와 만나는 점의 좌표는

(1) y좌표는 ❶ ☐ 이다.

(2) x좌표는 $y=a^x$에 $y=$ ❷ ☐ 를 대입하면 구할 수 있다.

답| ❶ k　❷ k

09 두 함수 $y=\left(\frac{1}{9}\right)^x$, $y=3^x$의 그래프가 직선 $y=9$와 만나는 점을 각각 A, B라 할 때, $\overline{\text{AB}}$의 길이를 구하시오.

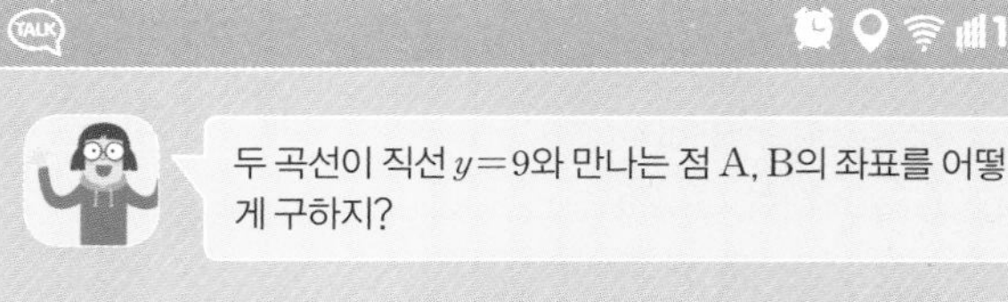

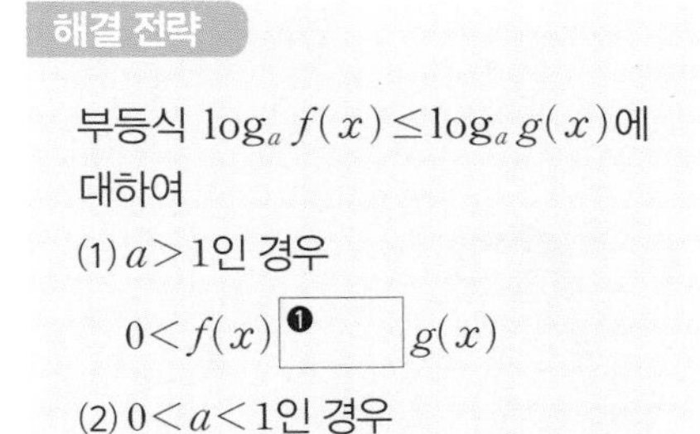

해결 전략

부등식 $\log_a f(x) \leq \log_a g(x)$에 대하여

(1) $a > 1$인 경우

$0 < f(x)$ ❶ $\square$ $g(x)$

(2) $0 < a < 1$인 경우

$f(x)$ ❷ $\square$ $g(x) > 0$

답| ❶ $\leq$ ❷ $\geq$

10 부등식 $\log 5x \leq 1$을 만족시키는 모든 자연수 x의 값의 합은?

① 1 ② 2 ③ 3
④ 4 ⑤ 5

해결 전략

부등식 $a^{f(x)} \leq a^{g(x)}$에 대하여

(1) $a > 1$인 경우

$f(x)$ ❶ $\square$ $g(x)$

(2) $0 < a < 1$인 경우

$f(x)$ ❷ $\square$ $g(x)$

답| ❶ $\leq$ ❷ $\geq$

11 다음 두 학생의 대화를 읽고, 터뜨려야 하는 풍선의 개수를 구하시오.

해결 전략

a^x 꼴이 반복되는 지수부등식은 ❶ $\square$ $= t$로 치환하여 t에 대한 부등식을 푼다.

이때 t ❷ $\square$ 0임에 주의한다.

답| ❶ a^x ❷ $>$

12 부등식 $4^x - 6 \cdot 2^{x+1} + 32 \leq 0$을 만족시키는 모든 자연수 x의 값의 합은?

① 3 ② 4 ③ 5
④ 6 ⑤ 7

03 일차

지수함수, 로그함수가 여러 분야에서 쓰이네!

이제는 삼각함수 차례야! 출발해 볼까?

매일 매일 공부하는 미리보기

1일차 2일차 3일차 4일차

호도법 체험관

육십분법과 호도법 사이의 관계

호의 길이가 반지름의 길이와 같은 부채꼴의 중심각의 크기는 원의 반지름의 길이와 관계없이 일정한데, 이 일정한 각의 크기 $\frac{180°}{\pi}$를 1라디안이라 하고 이것을 단위로 각의 크기를 나타내는 방법을 호도법이라 한다.

① 1라디안$=\frac{180°}{\pi}$ ② $1°=\frac{\pi}{180}$라디안

$\frac{\pi}{3}$와 $60°$ 모두 맞아요! $60°$를 호도법으로 나타내면 $\frac{\pi}{3}$가 돼요.

체험 완료

공부할 내용

삼각함수 체험관
중학교에서 배웠던 삼각비 잊지 않았지?
사인, 코사인, 탄젠트 말이지? 영어로는 sin, cos, tan 맞지?
맞아! 삼각비를 이용하면 실제로 측정하기 힘든 건물의 높이도 구할 수 있었지.
그런데 0°보다 작은 각 또는 90°보다 큰 각에 대한 삼각비는 어떻게 구할까?
삼각비의 개념을 이렇게 일반각으로 확장할 수 있어요. 이걸 알고 있으면 0°보다 작은 각 또는 90°보다 큰 각에 대한 삼각비를 구할 수 있겠죠?
삼각함수의 정의
각 θ를 나타내는 동경과 반지름의 길이가 r인 원 O의 교점의 좌표를 (x, y)라 하면
sin θ = y/r
cos θ = x/r
tan θ = y/x (x ≠ 0)
(x, y)
y
r
x
θ
O
-r
체험 완료

01 핵심 체크 일반각과 호도법

(1) **일반각**: 오른쪽 그림과 같이 ∠XOP의 크기 중에서 하나를 α°라 할 때, 동경 OP가 나타내는 각의 크기는

$360^\circ \times n + \alpha^\circ$($n$은 정수)

이것을 동경 OP가 나타내는 ❶ [   ] 이라 한다.

여기서 n은 동경이 회전한 방향과 횟수를 나타내.

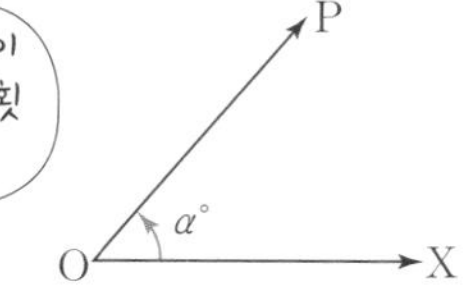

(2) **호도법**: 반지름의 길이가 r인 원 O에서 길이가 r인 호 AB에 대한 중심각의 크기를 α°라 하면

$r : 2\pi r = \alpha^\circ : 360^\circ \quad \therefore \alpha^\circ = \dfrac{180^\circ}{❷\ [\quad]}$

이때 $\dfrac{180^\circ}{\pi}$를 1라디안(radian)이라 하고, 이것을 단위로 각의 크기를 나타내는 방법을 ❸ [   ] 이라 한다.

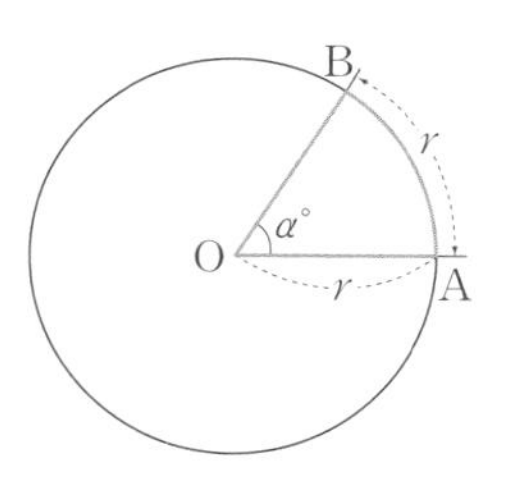

답 | ❶ 일반각 ❷ π ❸ 호도법

기출 유형

다음 중 각을 나타내는 동경이 30°의 동경과 x축에 대하여 대칭인 것은?

① 120° ② $\dfrac{4}{3}\pi$ ③ $\dfrac{7}{3}\pi$

④ $\dfrac{11}{6}\pi$ ⑤ 300°

풀이 | 30°의 동경과 x축에 대하여 대칭인 각의 동경은 -30°의 동경과 일치한다.

이때 $-30^\circ = -\dfrac{\pi}{6} = 2\pi \times (-1) + \dfrac{11}{6}\pi$이므로 구하는 각은 ④이다.

답 | ④

01-1 기출 유사

다음 중 각을 나타내는 동경이 $\dfrac{2}{3}\pi$의 동경과 y축에 대하여 대칭인 것은?

① 120° ② $\dfrac{\pi}{6}$ ③ $\dfrac{4}{3}\pi$

④ $\dfrac{5}{3}\pi$ ⑤ $\dfrac{7}{3}\pi$

TIP
구하는 각의 동경은 $\pi - \dfrac{2}{3}\pi = \dfrac{\pi}{3}$의 동경과 일치한다.

01-2 기초력 확인

다음 중 각을 나타내는 동경이 $\dfrac{\pi}{3}$의 동경과 일치하지 <u>않는</u> 것은?

① 60° ② $-\dfrac{5}{3}\pi$ ③ $\dfrac{7}{3}\pi$

④ 420° ⑤ $-\dfrac{10}{3}\pi$

주어진 각을 $2n\pi + \alpha$(n은 정수) 꼴로 나타낸다.

02 핵심 체크 부채꼴의 호의 길이와 넓이

반지름의 길이가 r이고 중심각의 크기가 θ(라디안)인 부채꼴의 호의 길이를 l, 넓이를 S라 하면

(1) $l=r$ ❶ ☐

(2) $S=\frac{1}{2}r^2\theta=\frac{1}{2}r$ ❷ ☐

답| ❶ θ ❷ l

기출 유형

반지름의 길이가 4이고 호의 길이가 3π인 부채꼴의 중심각의 크기는?

① $\frac{\pi}{2}$ ② $\frac{5}{8}\pi$ ③ $\frac{3}{4}\pi$ ④ $\frac{7}{8}\pi$ ⑤ π

풀이| 부채꼴의 중심각의 크기를 θ라 하면 부채꼴의 호의 길이는 $4\theta=3\pi$

$\therefore\ \theta=\frac{3}{4}\pi$

답| ③

02-1 기출 유사 반지름의 길이가 12인 부채꼴의 넓이가 24π일 때, 부채꼴의 호의 길이는?

① π ② 2π ③ 3π ④ 4π ⑤ 5π

TIP 반지름의 길이가 r, 호의 길이가 l인 부채꼴의 넓이를 S라 하면 $S=\frac{1}{2}rl$

02-2 기초력 확인 오른쪽 그림과 같은 부채꼴 모양의 선반 1개의 바닥의 넓이는?

① $\frac{\pi}{2}$ ② $\frac{3}{4}\pi$ ③ π ④ $\frac{3}{2}\pi$ ⑤ 2π

TIP 반지름의 길이가 r, 중심각의 크기가 θ인 부채꼴의 넓이를 S라 하면 $S=\frac{1}{2}r^2\theta$

03 핵심 체크 삼각함수

오른쪽 그림과 같이 각 θ를 나타내는 동경과 반지름의 길이가 r인 원 O의 교점을 $P(x, y)$라 하면

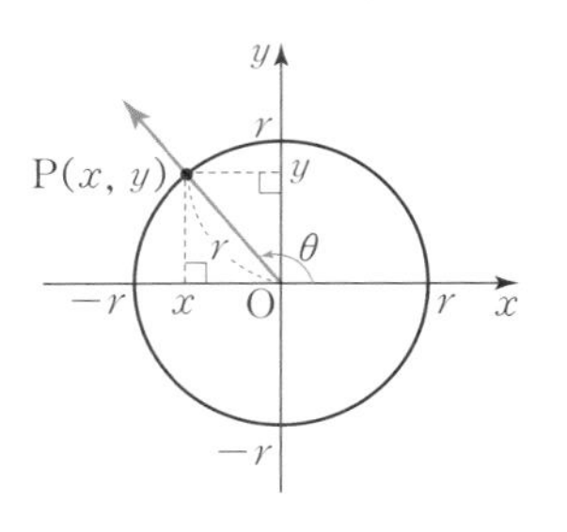

$\sin\theta = \dfrac{❶\square}{r}$, $\cos\theta = \dfrac{❷\square}{r}$, $\tan\theta = \dfrac{y}{x}$ $(x \neq 0)$

이때 이 함수를 차례로 θ에 대한 사인함수, 코사인함수, 탄젠트함수라 하고 이 함수들을 통틀어 θ에 대한 ❸ $\square$ 라 한다.

답| ❶ y ❷ x ❸ 삼각함수

기출 유형

$\sin\frac{5}{4}\pi$의 값은?

① -1 ② $-\frac{\sqrt{2}}{2}$ ③ 0

④ $\frac{\sqrt{2}}{2}$ ⑤ 1

풀이| 다음 그림과 같이 각 $\frac{5}{4}\pi$를 나타내는 동경과 원점 O를 중심으로 하는 단위원의 교점을 P라 하면 $\overline{OP}=1$, $\angle POH=\frac{\pi}{4}$이므로 점 P의 좌표는 $\left(-\frac{\sqrt{2}}{2}, -\frac{\sqrt{2}}{2}\right)$

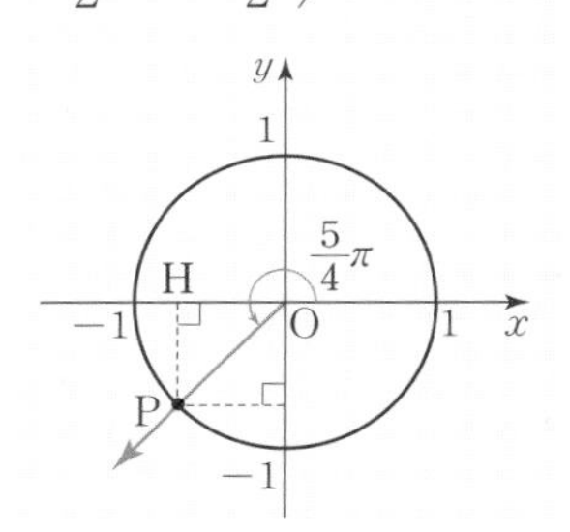

$\therefore \sin\frac{5}{4}\pi = -\frac{\sqrt{2}}{2}$

답| ②

03-1 기출 유사

$\tan\frac{2}{3}\pi$의 값은?

① $-\sqrt{3}$ ② -1 ③ 0

④ 1 ⑤ $\sqrt{3}$

TIP 각 $\frac{2}{3}\pi$를 나타내는 동경과 원점 O를 중심으로 하는 단위원의 교점의 좌표를 구한다.

03-2 기초력 확인

원점 O와 점 $P(-\sqrt{3}, 1)$을 지나는 동경 OP가 나타내는 각의 크기를 θ라 할 때, $\cos\theta$의 값을 구하시오.

TIP $\cos\theta = \frac{-\sqrt{3}}{\overline{OP}}$

· 정답과 풀이 10쪽

04 핵심 체크 삼각함수 사이의 관계

(1) 삼각함수의 값의 부호: 각 θ를 나타내는 동경이 위치한 사분면에 따라 삼각함수의 값의 부호는 다음 그림과 같이 정해진다.

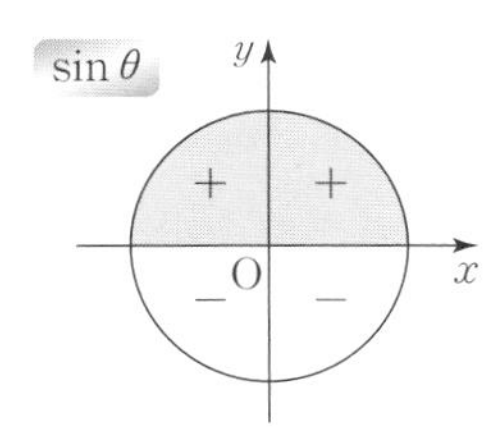

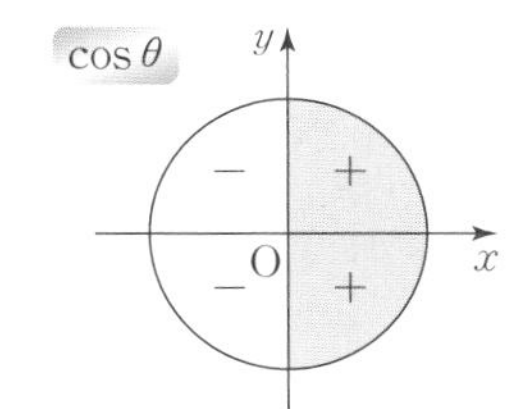

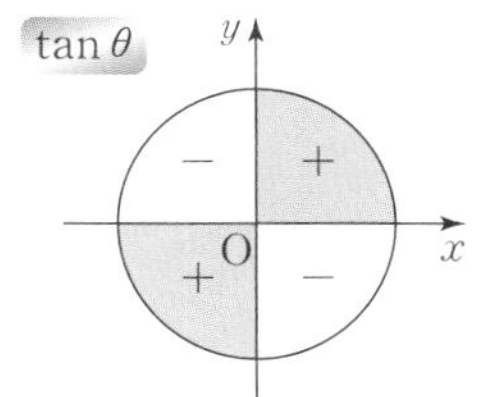

(2) 삼각함수 사이의 관계

① $\tan\theta = \dfrac{\sin\theta}{\boxed{❶\quad}}$

② $\sin^2\theta + \cos^2\theta = \boxed{❷\quad}$

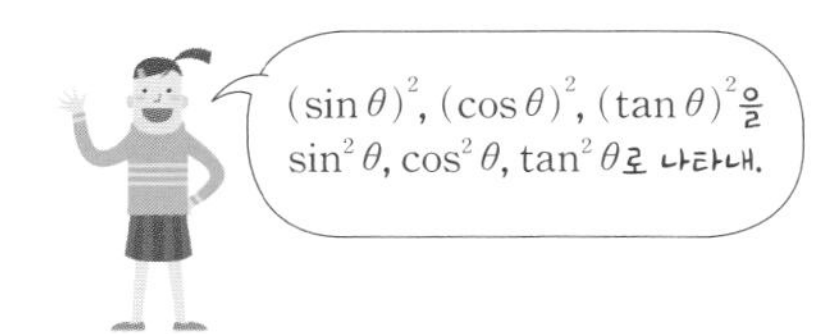

답| ❶ $\cos\theta$ ❷ 1

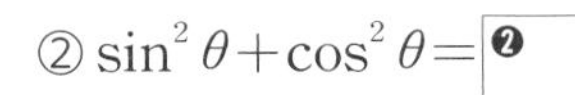

기출 유형

각 θ가 제3사분면의 각이고 $\sin\theta = -\dfrac{4}{5}$일 때, $\cos\theta$의 값은?

① $-\dfrac{5}{3}$ ② $-\dfrac{3}{5}$ ③ 0

④ $\dfrac{3}{5}$ ⑤ $\dfrac{5}{3}$

풀이| $\sin^2\theta + \cos^2\theta = 1$이므로

$\cos^2\theta = 1 - \sin^2\theta = 1 - \left(-\dfrac{4}{5}\right)^2 = \dfrac{9}{25}$

이때 각 θ가 제3사분면의 각이므로

$\cos\theta < 0 \qquad \therefore \cos\theta = -\dfrac{3}{5}$

답| ②

04-1 기출 유사

$\dfrac{\pi}{2} < \theta < \pi$이고 $\cos\theta = -\dfrac{3}{5}$일 때, $5\sin\theta$의 값은?

① 0 ② 1 ③ 2

④ 3 ⑤ 4

TIP
$\sin^2\theta + \cos^2\theta = 1$이므로
$\sin^2\theta = 1 - \cos^2\theta$

04-2 기초력 확인

$\sin^2\theta = \dfrac{13}{15}$일 때, $15\cos^2\theta$의 값을 구하시오.

TIP
$\sin^2\theta + \cos^2\theta = 1$이므로
$\cos^2\theta = 1 - \sin^2\theta$

기초력 집중드릴

해결 전략

반지름의 길이가 r이고 중심각의 크기가 θ인 부채꼴의 호의 길이를 l이라 하면 $l=r$ ❶ [ ]

답| ❶ θ

01 다음 그림에서 부채꼴 모양으로 남은 피자의 호의 길이는?

① 7π　② 9π　③ 11π
④ 13π　⑤ 15π

해결 전략

반지름의 길이가 r이고 중심각의 크기가 θ인 부채꼴의 호의 길이를 l, 넓이를 S라 하면

(1) $l=r$ ❶ [ ]

(2) $S=\frac{1}{2}r^2\theta=\frac{1}{2}r$ ❷ [ ]

답| ❶ θ　❷ l

02 중심각의 크기가 $\frac{2}{5}\pi$인 부채꼴의 호의 길이가 2π일 때, 부채꼴의 넓이는?

① 4π　② $\frac{9}{2}\pi$　③ 5π
④ $\frac{11}{2}\pi$　⑤ 6π

해결 전략

반지름의 길이가 r이고 중심각의 크기가 θ인 부채꼴의 호의 길이를 l이라 하면

(1) $l=r$ ❶ [ ]

(2) 부채꼴의 둘레의 길이는
$2r+$ ❷ [ ]

답| ❶ θ　❷ l

03 중심각의 크기가 1라디안이고 둘레의 길이가 15인 부채꼴의 반지름의 길이는?

① 1　② 2　③ 3
④ 4　⑤ 5

해결 전략

각 θ를 나타내는 동경 위의 점 $P(x, y)$에 대하여

(1) $\overline{OP}=\sqrt{\boxed{❶}^2+y^2}$

(2) $\sin\theta=\frac{\boxed{❷}}{\overline{OP}}$

답| ❶ x ❷ y

04 원점 O와 점 P(5, 12)를 지나는 동경 OP가 나타내는 각의 크기를 θ라 할 때, $\sin\theta$의 값은?

① $-\frac{12}{13}$ ② $-\frac{7}{13}$ ③ $\frac{5}{13}$
④ $\frac{7}{13}$ ⑤ $\frac{12}{13}$

해결 전략

각 θ를 나타내는 동경 위의 점 $P(x, y)$에 대하여

(1) $\overline{OP}=\sqrt{x^2+y^2}$

(2) $\cos\theta=\frac{\boxed{❶}}{\overline{OP}}$

답| ❶ x

05 원점 O와 점 P(−3, 4)를 지나는 동경 OP가 나타내는 각의 크기를 θ라 할 때, $\cos\theta$의 값은?

① $-\frac{4}{5}$ ② $-\frac{3}{5}$ ③ $\frac{3}{5}$
④ $\frac{4}{5}$ ⑤ $\frac{4}{3}$

해결 전략

각 θ를 나타내는 동경과 원점 O를 중심으로 하는 단위원의 교점 $P(x, y)$에 대하여

$x=\cos\theta$, $y=\boxed{❶}$

답| ❶ $\sin\theta$

06 다음 대화를 읽고 두 학생이 조사하게 될 유적을 고르시오.

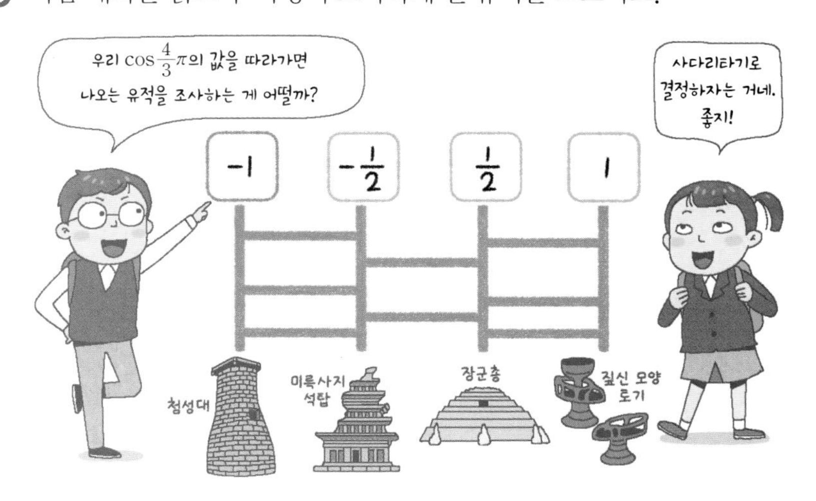

해결 전략

각 θ를 나타내는 동경과 원점 O를 중심으로 하는 단위원의 교점 $\mathrm{P}(x, y)$에 대하여

$x=$ ❶ ☐, $y=\sin\theta$

답| ❶ $\cos\theta$

07 $\theta=-\frac{\pi}{3}$일 때, $\cos\theta+\sqrt{3}\sin\theta$의 값은?

① -1　② $-\frac{\sqrt{2}}{2}$　③ 0

④ $\frac{\sqrt{2}}{2}$　⑤ $\sqrt{2}$

해결 전략

각 사분면에서 각 θ에 대한 삼각함수의 값의 부호가 $+$인 것을 나타내면 다음과 같다.

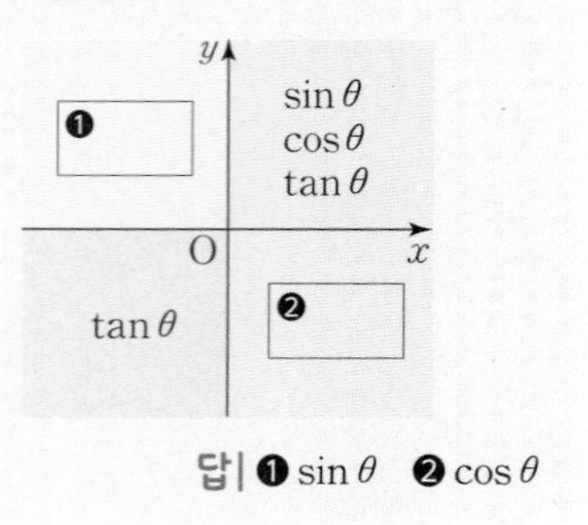

답| ❶ $\sin\theta$　❷ $\cos\theta$

08 다음 중 삼각함수의 값의 부호가 나머지 셋과 다른 하나가 적힌 카드를 들고 있는 학생을 고르시오.

해결 전략

(1) $\sin\theta<0$인 각 θ가 존재하는 사분면은 제3사분면, 제 ❶ ☐ 사분면이다.

(2) $\cos\theta>0$인 각 θ가 존재하는 사분면은 제 ❷ ☐ 사분면, 제4사분면이다.

답| ❶ 4　❷ 1

09 $\sin\theta<0$, $\cos\theta>0$을 동시에 만족시키는 각 θ가 존재하는 사분면은?

① 제1사분면　② 제2사분면　③ 제3사분면

④ 제4사분면　⑤ 제3, 4사분면

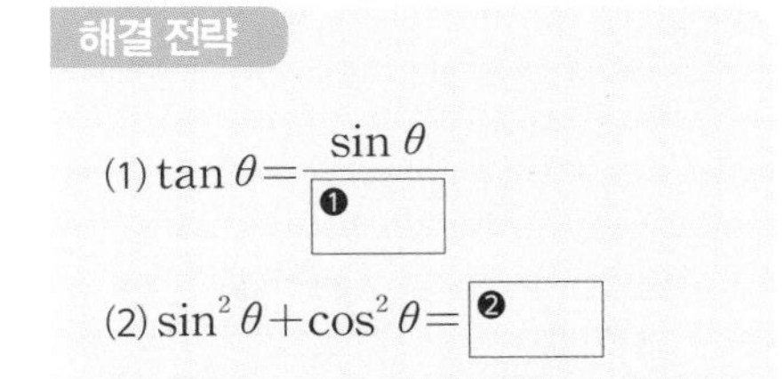

10 $\pi<\theta<\frac{3}{2}\pi$이고 $\tan\theta=2$일 때, $\cos\theta$의 값은?

① $-\frac{\sqrt{5}}{5}$ ② $-\frac{2}{5}$ ③ $-\frac{\sqrt{3}}{5}$
④ $-\frac{\sqrt{2}}{5}$ ⑤ $-\frac{1}{5}$

해결 전략

$\pi<\theta<\frac{3}{2}\pi$이므로 각 θ는

제 ❶ $\square$ 사분면의 각이다.

⇨ $\sin\theta$ ❷ $\square$ 0, $\cos\theta<0$,

$\tan\theta>0$

답| ❶ 3 ❷ <

11 $\pi<\theta<\frac{3}{2}\pi$이고 $\cos\theta=-\frac{1}{3}$일 때, $\tan\theta-3\sin\theta$의 값은?

① 0 ② $\sqrt{2}$ ③ $2\sqrt{2}$
④ $3\sqrt{2}$ ⑤ $4\sqrt{2}$

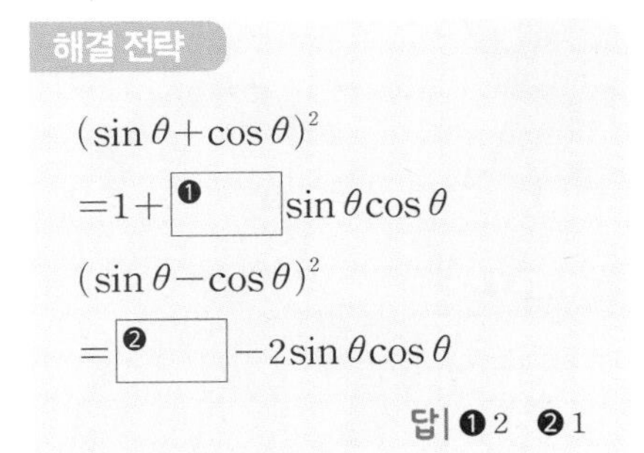

12 다음 대화를 읽고, $\square$ 안에 알맞은 수를 구하시오.

이제는 삼각함수의 그래프 차례야!

휴! 삼각함수는 조금 어렵네! 이제 어디로 가?

매일 매일 공부하는 미리보기

1일차 2일차 3일차 4일차

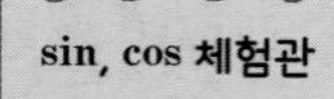

형광등이 계속 켜져 있는 것 같지만 동영상으로 촬영해서 느리게 재생하면 깜빡거린다는 것 알고 있었어?

정말? 왜 그런 거야?

그건 주파수가 60 Hz인 교류를 사용하기 때문인데, 교류는 시간에 따라 전류의 흐름이 주기적으로 반복해 변하는 파형으로 나타나.

그럼 네가 말한 주기적으로 반복해 변하는 모양을 그래프로 나타내려면 어떻게 해야 할까?

주기적으로 반복해 변하는 모양의 그래프의 대표적인 것이 바로 사인함수와 코사인함수의 그래프란다.

사인함수와 코사인함수의 그래프

① 사인함수의 그래프

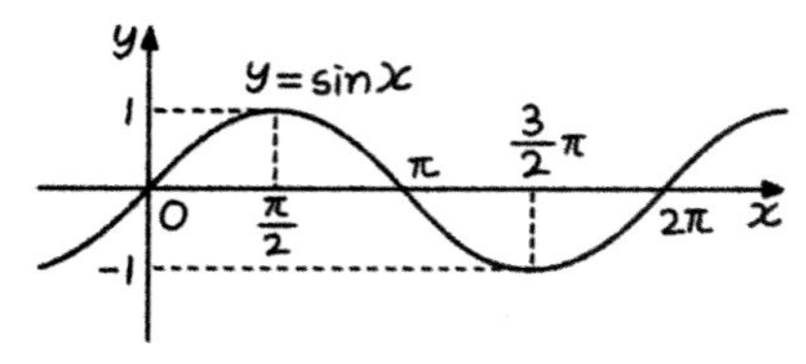

② 코사인함수의 그래프

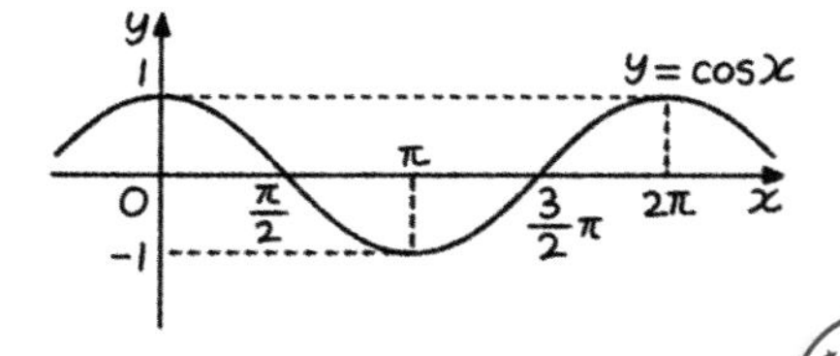

체험 완료

공부할 내용

01 사인함수, 코사인함수의 그래프

02 탄젠트함수의 그래프

03 삼각함수의 성질

04 삼각함수를 포함한 방정식과 부등식

01 핵심 체크 사인함수, 코사인함수의 그래프

삼각함수	$y=\sin x$	$y=\cos x$
그래프		
정의역	실수 전체의 집합	실수 전체의 집합
치역	$\{y \mid -1 \le y \le$ ❶ $\square\}$	$\{y \mid$ ❷ $\square \le y \le 1\}$
주기	2π	❸ $\square$
대칭성	❹ $\square$ 대칭	y축 대칭

답| ❶ 1 ❷ −1 ❸ 2π ❹ 원점

기출 유형

함수 $y=2\cos\left(x+\frac{\pi}{2}\right)-1$의 최솟값은?

① -3 ② -2 ③ -1
④ 0 ⑤ 1

풀이| $-1 \le \cos\left(x+\frac{\pi}{2}\right) \le 1$이므로

$-2 \le 2\cos\left(x+\frac{\pi}{2}\right) \le 2$

$\therefore -3 \le 2\cos\left(x+\frac{\pi}{2}\right)-1 \le 1$

따라서 최솟값은 -3이다.

답| ①

01-1 기출 유사

함수 $y=3\sin\left(x-\frac{\pi}{2}\right)+k$의 최댓값이 1일 때, 상수 k의 값은?

① -4 ② -2 ③ 0
④ 2 ⑤ 4

TIP
함수 $y=a\sin(bx+c)+d$의 최댓값은 $|a|+d$, 최솟값은 $-|a|+d$이다.

01-2 기초력 확인

다음 중 함수 $f(x)=4\sin x+1$에 대하여 $f\left(\frac{\pi}{6}\right)$의 값을 바르게 들고 있는 학생을 고르시오.

TIP
주어진 함수의 식에 $x=\frac{\pi}{6}$를 대입한다.

· 정답과 풀이 14쪽

02 핵심 체크 탄젠트함수의 그래프

(1) **정의역**: $x \neq n\pi +$ ❶ ☐ (n은 정수)인 실수 전체의 집합

(2) **치역**: 실수 전체의 집합

(3) **점근선**: 직선 $x = n\pi + \frac{\pi}{2}$ (n은 정수)

(4) 주기가 ❷ ☐ 인 주기함수이다.

(5) 그래프는 ❸ ☐ 에 대하여 대칭이다.

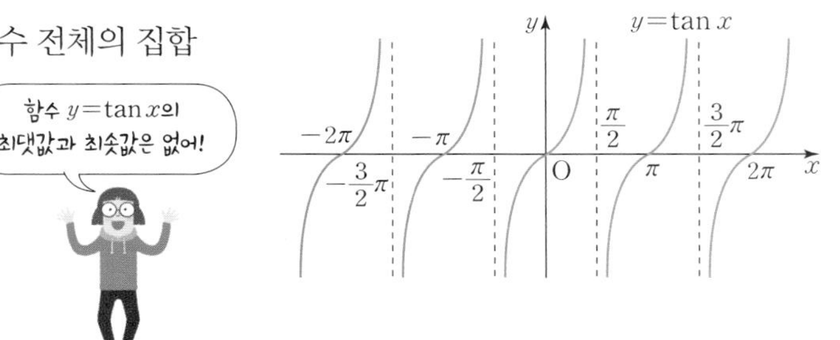

답 | ❶ $\frac{\pi}{2}$ ❷ π ❸ 원점

기출 유형

함수 $y=2\sqrt{3}\tan x+k$의 그래프가 점 $\left(\frac{\pi}{3}, 3\right)$을 지날 때, 상수 k의 값은?

① -3 ② -2 ③ -1
④ 1 ⑤ 2

풀이 | $y=2\sqrt{3}\tan x+k$에 $x=\frac{\pi}{3}$, $y=3$을 대입하면 $3=2\sqrt{3}\tan\frac{\pi}{3}+k$

$3=2\sqrt{3}\cdot\sqrt{3}+k$, $3=6+k$

$\therefore k=-3$

답 | ①

02-1 기출 유사

함수 $f(x)=3\sqrt{3}\tan x+k$의 그래프가 점 $\left(\frac{\pi}{6}, 1\right)$을 지날 때, $f\left(\frac{\pi}{3}\right)$의 값은? (단, k는 상수)

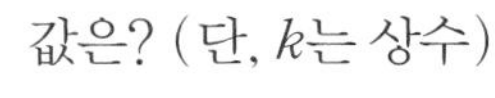

① -4 ② -1 ③ 3
④ 7 ⑤ 11

TIP
함수 $y=f(x)$의 그래프가 점 $\left(\frac{\pi}{6}, 1\right)$을 지나므로 $f\left(\frac{\pi}{6}\right)=1$

02-2 기초력 확인

함수 $f(x)=\tan\frac{x}{4}$에 대하여 $f(\pi)$의 값은?

① 1 ② $\sqrt{2}$ ③ $\sqrt{3}$
④ 2 ⑤ 3

TIP
주어진 함수의 식에 $x=\pi$를 대입한다.

03 핵심 체크 삼각함수의 성질

(1) $-\theta$의 삼각함수

$\sin(-\theta)=-\sin\theta$, $\cos(-\theta)=$ ❶ ______, $\tan(-\theta)=-\tan\theta$

(2) $\pi\pm\theta$의 삼각함수

① $\sin(\pi+\theta)=-\sin\theta$, $\cos(\pi+\theta)=-\cos\theta$, $\tan(\pi+\theta)=\tan\theta$

② $\sin(\pi-\theta)=$ ❷ ______, $\cos(\pi-\theta)=-\cos\theta$, $\tan(\pi-\theta)=-\tan\theta$

(3) $\frac{\pi}{2}\pm\theta$의 삼각함수

① $\sin\left(\frac{\pi}{2}+\theta\right)=\cos\theta$, $\cos\left(\frac{\pi}{2}+\theta\right)=$ ❸ ______, $\tan\left(\frac{\pi}{2}+\theta\right)=-\frac{1}{\tan\theta}$

② $\sin\left(\frac{\pi}{2}-\theta\right)=\cos\theta$, $\cos\left(\frac{\pi}{2}-\theta\right)=\sin\theta$, $\tan\left(\frac{\pi}{2}-\theta\right)=\frac{1}{\tan\theta}$

답| ❶ $\cos\theta$ ❷ $\sin\theta$ ❸ $-\sin\theta$

기출 유형

$\cos\theta=\frac{1}{3}$일 때, $4\sin\left(\frac{\pi}{2}+\theta\right)+\cos(\pi-\theta)$의 값은?

① 0 ② $\frac{1}{4}$ ③ $\frac{1}{2}$
④ $\frac{2}{3}$ ⑤ 1

풀이| (주어진 식) $=4\cos\theta-\cos\theta=3\cos\theta$

$=3\cdot\frac{1}{3}=1$

답| ⑤

03-1 기출 유사 $0<\theta<\frac{\pi}{2}$이고 $\tan\theta=\frac{4}{3}$일 때, $5\cos\left(\frac{\pi}{2}+\theta\right)+10\sin(\pi-\theta)$의 값은?

① 1 ② 2 ③ 3
④ 4 ⑤ 5

TIP
$\cos\left(\frac{\pi}{2}+\theta\right)=-\sin\theta$
$\sin(\pi-\theta)=\sin\theta$

03-2 기초력 확인 $\cos\theta=\frac{1}{3}$일 때, $3\cos(\pi-\theta)$의 값은?

① -2 ② -1 ③ 1
④ 2 ⑤ 3

TIP
$\cos(\pi-\theta)=-\cos\theta$

04 핵심 체크 삼각함수를 포함한 방정식과 부등식

(1) 삼각함수를 포함한 방정식의 풀이

① 주어진 방정식을 $\sin x=k$ (또는 $\cos x=k$ 또는 $\tan x=k$) 꼴로 변형한다.

② 주어진 범위에서 함수 $y=\sin x$ (또는 $y=\cos x$ 또는 $y=\tan x$)의 그래프와 직선 $y=$ ❶ ______ 의 교점의 x좌표를 찾아 해를 구한다.

(2) 삼각함수를 포함한 부등식의 풀이

① 주어진 부등식을 $\sin x>k$ (또는 $\cos x>k$ 또는 $\tan x>k$) 꼴로 변형한다.

② 주어진 범위에서 함수 $y=$ ❷ ______ (또는 $y=\cos x$ 또는 $y=\tan x$)의 그래프와 직선 $y=k$를 이용하여 부등식의 해를 구한다.

답| ❶ k ❷ $\sin x$

기출 유형

$0\le x\le 2\pi$일 때, 방정식 $2\cos x-1=0$의 모든 해의 합은?

① π ② $\frac{3}{2}\pi$ ③ 2π ④ $\frac{5}{2}\pi$ ⑤ 3π

풀이| $2\cos x-1=0$에서 $\cos x=\frac{1}{2}$

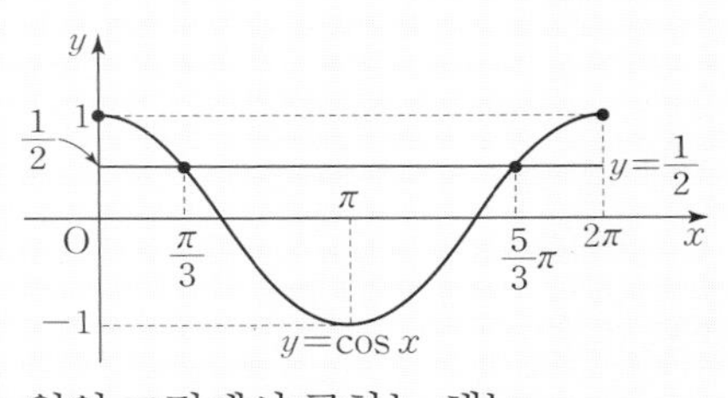

위의 그림에서 구하는 해는

$x=\frac{\pi}{3}$ 또는 $x=\frac{5}{3}\pi$

이므로 그 합은 $\frac{\pi}{3}+\frac{5}{3}\pi=2\pi$

답| ③

04-1 기출 유사 $0\le x\le \pi$일 때, 방정식 $2\sin x-1=0$의 모든 해의 합은?

① $\frac{\pi}{4}$ ② $\frac{\pi}{3}$ ③ $\frac{\pi}{2}$ ④ π ⑤ $\frac{3}{2}\pi$

TIP 주어진 방정식을 $\sin x=k$ 꼴로 변형한다.

04-2 기초력 확인 $0\le x\le \frac{\pi}{2}$일 때, 방정식 $\sin\left(x+\frac{\pi}{2}\right)=\frac{1}{2}$의 해는?

① $x=0$ ② $x=\frac{\pi}{6}$ ③ $x=\frac{\pi}{4}$ ④ $x=\frac{\pi}{3}$ ⑤ $x=\frac{\pi}{2}$

TIP $\sin\left(x+\frac{\pi}{2}\right)=\cos x$임을 이용한다.

기초력 집중드릴

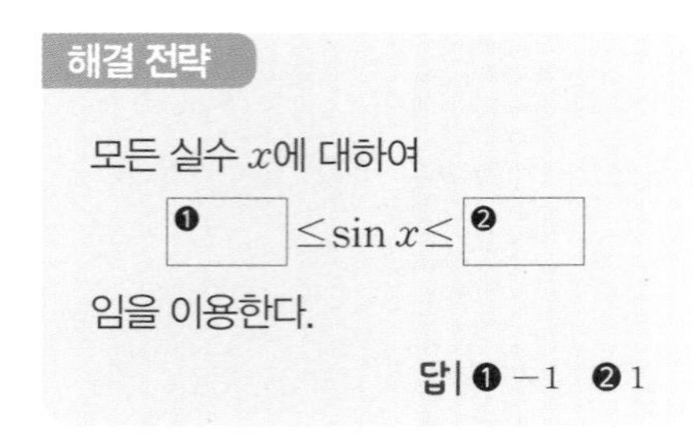

해결 전략

모든 실수 x에 대하여

$\boxed{❶\quad} \le \sin x \le \boxed{❷\quad}$

임을 이용한다.

답| ❶ -1 ❷ 1

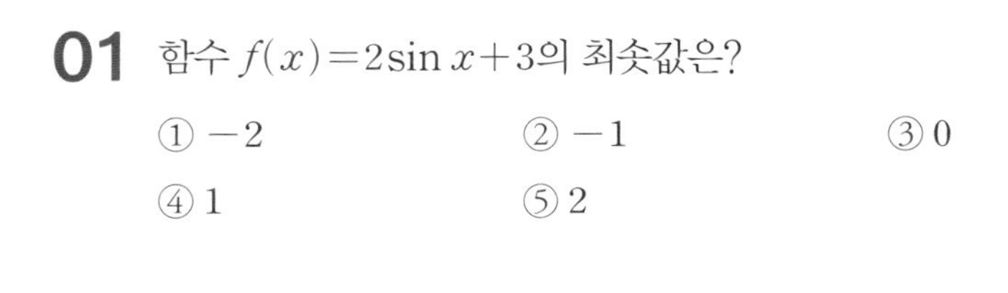

01 함수 $f(x)=2\sin x+3$의 최솟값은?

① -2 ② -1 ③ 0
④ 1 ⑤ 2

해결 전략

모든 실수 x에 대하여

$\boxed{❶\quad} \le \cos x \le \boxed{❷\quad}$

임을 이용한다.

답| ❶ -1 ❷ 1

02 다음과 같이 최댓값과 최솟값이 출력되는 장치에 함수 $f(x)=5\cos x-1$을 입력했을 때, $M+m$의 값을 구하시오.

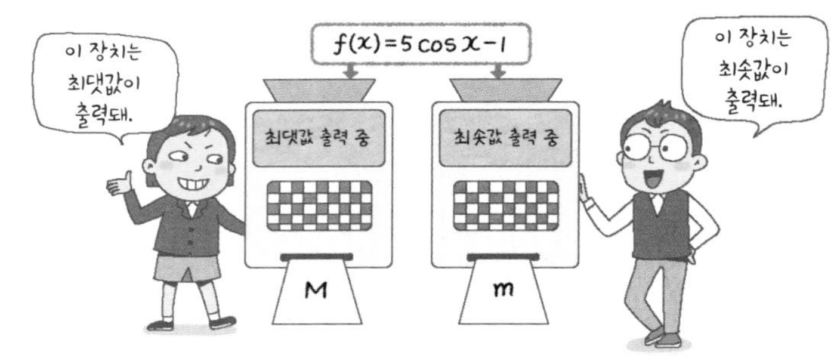

해결 전략

함수 $f(x)=a\sin x+k\,(a>0)$의 최댓값과 최솟값은

(1) 최댓값: $\boxed{❶\quad}+k$

(2) 최솟값: $-a+\boxed{❷\quad}$

답| ❶ a ❷ k

03 함수 $f(x)=3\sin x+k$의 최댓값이 7일 때, 상수 k의 값은?

① 1 ② 2 ③ 3
④ 4 ⑤ 5

해결 전략

함수 $f(x)=a\cos x+k(a>0)$의 최댓값과 최솟값은

(1) 최댓값: ❶ $\square+k$

(2) 최솟값: $-a+$ ❷ $\square$

답| ❶ a ❷ k

04 함수 $f(x)=a\cos x+3$의 최솟값이 -1일 때, 함수 $f(x)$의 최댓값은? (단, $a>0$)

① 4 ② 5 ③ 6
④ 7 ⑤ 8

해결 전략

함수 $y=a\sin x+b(a>0)$의 최댓값과 최솟값은

(1) 최댓값: ❶ $\square+b$

(2) 최솟값: $-a+$ ❷ $\square$

답| ❶ a ❷ b

05 함수 $y=a\sin x+b$의 그래프가 다음 그림과 같을 때, 상수 a, b에 대하여 a^2+b^2의 값은? (단, $a>0$)

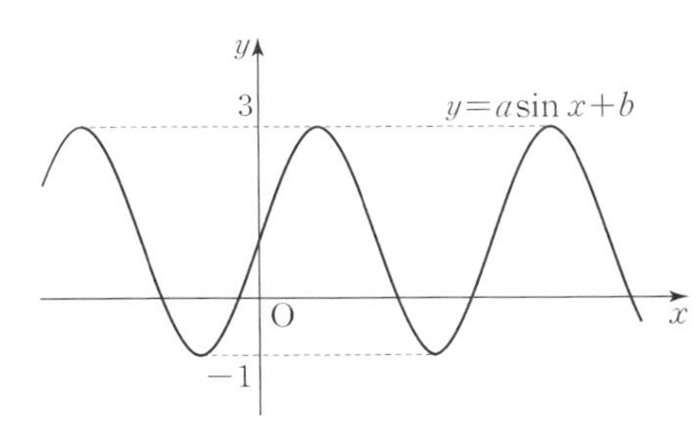

① 4 ② 5 ③ 6
④ 7 ⑤ 8

해결 전략

함수 $y=k\sin\left(x+\frac{\pi}{2}\right)+1$의 그래프가 점 $\left(\frac{\pi}{3}, 2\right)$를 지난다.

⇨ $x=$ ❶ $\square$, $y=$ ❷ $\square$를 대입한다.

답| ❶ $\frac{\pi}{3}$ ❷ 2

06 함수 $y=k\sin\left(x+\frac{\pi}{2}\right)+1$의 그래프가 점 $\left(\frac{\pi}{3}, 2\right)$를 지날 때, 상수 k의 값은?

① -2 ② -1 ③ 1
④ 2 ⑤ 3

기초력 집중드릴

해결 전략

함수 $y=a\cos 2x+b$의 그래프가

(1) 점 $(0, 4)$를 지난다.

⇨ $x=0$, $y=$ ❶ ☐ 를 대입

(2) 점 $\left(\frac{\pi}{2}, -2\right)$를 지난다.

⇨ $x=$ ❷ ☐ , $y=-2$를 대입

답| ❶ 4 ❷ $\frac{\pi}{2}$

07 함수 $y=a\cos 2x+b$의 그래프가 두 점 $(0, 4)$, $\left(\frac{\pi}{2}, -2\right)$를 지날 때, 상수 a, b에 대하여 ab의 값은?

① -3 ② -1 ③ 0
④ 1 ⑤ 3

해결 전략

(1) $\sin\left(\frac{\pi}{2}-\theta\right)=\cos\theta$

$\sin\left(\frac{\pi}{2}+\theta\right)=$ ❶ ☐

(2) $\cos(\pi-\theta)=$ ❷ ☐

$\cos(\pi+\theta)=-\cos\theta$

답| ❶ $\cos\theta$ ❷ $-\cos\theta$

08 다음을 보고, 수학 테마파크에 무료입장하려면 ㉠에 나와야 하는 수를 구하시오.

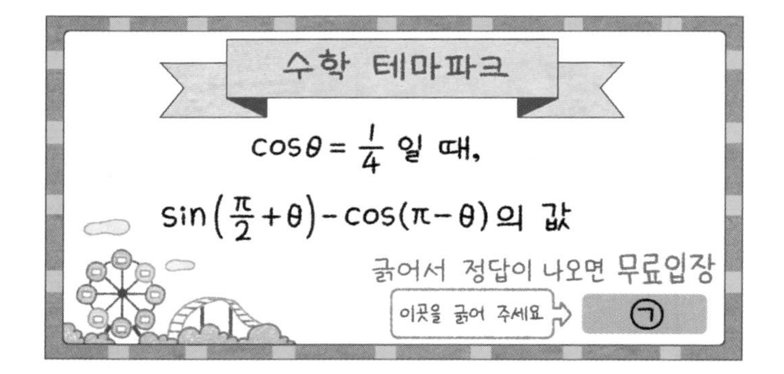

해결 전략

(1) $\cos\left(\frac{\pi}{2}-\theta\right)=$ ❶ ☐

$\cos\left(\frac{\pi}{2}+\theta\right)=-\sin\theta$

(2) $\sin(\pi-\theta)=$ ❷ ☐

$\sin(\pi+\theta)=-\sin\theta$

답| ❶ $\sin\theta$ ❷ $\sin\theta$

09 $0<\theta<\frac{\pi}{2}$이고 $\tan\theta=\frac{3}{4}$일 때, $3\cos\left(\frac{\pi}{2}-\theta\right)+2\sin(\pi-\theta)$의 값은?

① -2 ② -1 ③ 1
④ 2 ⑤ 3

해결 전략

$\sin x=\cos x$의 양변을 ❶ [ ] 로 나누면 $\dfrac{\sin x}{\cos x}=$ ❷ [ ] $=1$

답| ❶ $\cos x$ ❷ $\tan x$

10 다음 중 방정식 $\sin x=\cos x$의 해가 적혀 있는 깃발을 고르시오. (단, $0\le x<\pi$)

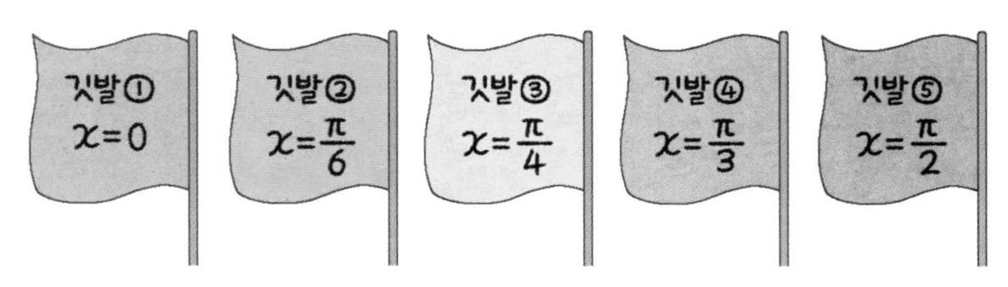

해결 전략

$x-\dfrac{\pi}{6}=t$로 치환한 후 방정식 ❶ [ ] $=\dfrac{1}{2}$의 해를 구한다. 이때 t의 값의 범위에 주의한다.

답| ❶ $\sin t$

11 방정식 $\sin\left(x-\dfrac{\pi}{6}\right)=\dfrac{1}{2}$의 해는? $\left(\text{단, } 0\le x\le\dfrac{\pi}{2}\right)$

① $x=0$　② $x=\dfrac{\pi}{6}$　③ $x=\dfrac{\pi}{4}$
④ $x=\dfrac{\pi}{3}$　⑤ $x=\dfrac{\pi}{2}$

해결 전략

부등식 $\sin x\ge k$ (k는 상수)의 해는 함수 $y=$ ❶ [ ] 의 그래프가 직선 $y=k$와 만나거나 ❷ [ ] 쪽에 있는 부분의 x의 값의 범위이다.

답| ❶ $\sin x$ ❷ 위

12 $0\le x\le\pi$일 때, 부등식 $2\sin x\ge1$의 해는 $\alpha\le x\le\beta$이다. 이때 $\beta-\alpha$의 값은?

① $\dfrac{\pi}{2}$　② $\dfrac{2}{3}\pi$　③ $\dfrac{3}{4}\pi$
④ $\dfrac{5}{6}\pi$　⑤ π

05 일차

매일 매일 공부하는 **미리보기**

1일차 2일차 3일차 4일차

공부할 내용

이제 삼각함수는 끝이지?

아직 끝이 아닌가봐! 사인법칙과 삼각형의 넓이면 또 삼각함수잖아!

5일차 6일차 7일차

삼각형의 넓이 체험관

민수네 할아버지 댁에 삼각형 모양의 잔디밭을 만들려고 하신대!

삼각형 모양으로 만드신다고? 그럼 변의 길이와 각의 크기가 어떻게 돼?

응. 이런 모양이야. 한 변의 길이는 5, 각의 크기는 150°야. 넓이는 20이면 적당할 것 같으시대.

중학교에서 배운 기억이 나는데. 두 변의 길이와 그 끼인각의 크기를 알면 삼각형의 넓이를 구할 수 있었던 것 같아.

맞아요. 구하려고 하는 변의 길이를 x로 놓으면

$20=\frac{1}{2}\cdot 5\cdot x\cdot \sin 150^\circ$

$\therefore x=16$

잔디밭의 다른 한 변의 길이는 16으로 하면 되겠네.

체험 완료

01 핵심 체크 사인법칙

△ABC의 외접원의 반지름의 길이를 R라 하면

(1) 사인법칙

$$\frac{a}{\sin A}=\frac{\boxed{❶\quad}}{\sin B}=\frac{c}{\boxed{❷\quad}}=2R$$

(2) 사인법칙의 변형

① $\sin A=\frac{a}{2R}$, $\sin B=\frac{\boxed{❸\quad}}{2R}$, $\sin C=\frac{c}{2R}$

② $a:b:c=\sin A:\sin B:\sin C$

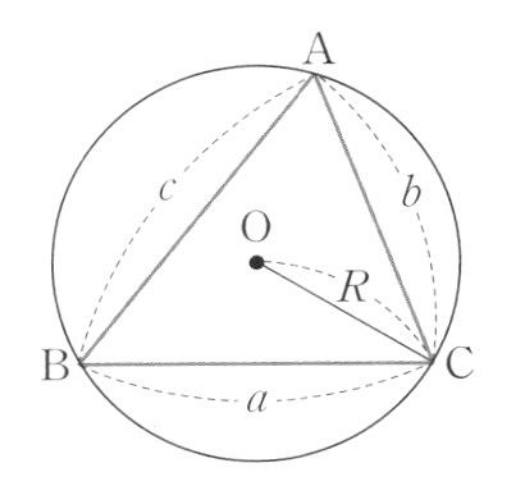

개념 플러스
△ABC에서 ∠A, ∠B, ∠C의 크기를 A, B, C로 나타내고, 이들의 대변 $\overline{BC}$, $\overline{CA}$, $\overline{AB}$의 길이를 a, b, c로 나타낸다.

답| ❶ b ❷ $\sin C$ ❸ b

기출 유형

반지름의 길이가 4인 원에 내접하는 △ABC에 대하여 $\angle BAC=\frac{\pi}{4}$일 때, $\overline{BC}$의 길이는?

① $3\sqrt{2}$ ② $\frac{7\sqrt{2}}{2}$ ③ $4\sqrt{2}$
④ $\frac{9\sqrt{2}}{2}$ ⑤ $5\sqrt{2}$

풀이| 사인법칙에 의하여

$$\frac{\overline{BC}}{\sin\frac{\pi}{4}}=2\cdot 4=8$$

$$\therefore \overline{BC}=8\sin\frac{\pi}{4}=8\cdot\frac{\sqrt{2}}{2}=4\sqrt{2}$$

답| ③

01-1 기출 유사

$\overline{BC}=5$이고 $\angle BAC=\frac{\pi}{6}$인 △ABC의 외접원의 반지름의 길이는?

① 3 ② 4 ③ 5
④ 6 ⑤ 7

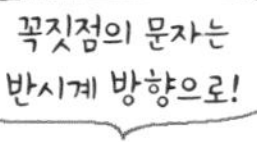

01-2 기초력 확인

$\overline{AC}=6\sqrt{3}$인 △ABC의 외접원의 반지름의 길이가 6일 때, $\sin B$의 값은?

① $\frac{1}{3}$ ② $\frac{1}{2}$ ③ $\frac{\sqrt{2}}{2}$
④ $\frac{\sqrt{3}}{2}$ ⑤ 1

TIP
다음과 같이 그림을 그리면 쉽게 이해할 수 있다.

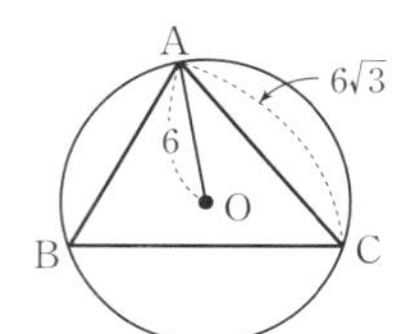

02 핵심 체크 코사인법칙

$\triangle ABC$에서

$a^2=b^2+c^2-2bc\cos A$

$b^2=c^2+a^2-2ca\cos$ ❶ ☐

❷ ☐ $=a^2+b^2-2ab\cos C$

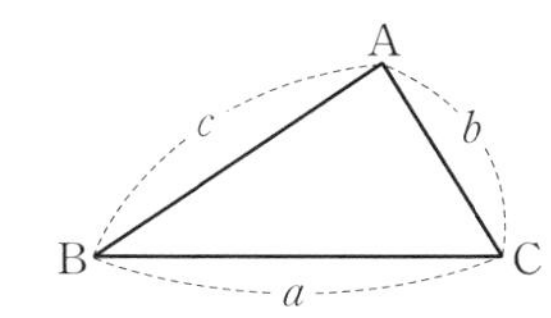

답| ❶ B ❷ c^2

기출 유형

$\overline{AB}=5$, $\overline{BC}=4$, $\angle ABC=\frac{\pi}{3}$인 $\triangle ABC$에서 $\overline{AC}^2$의 값은?

① 18 ② 19 ③ 20 ④ 21 ⑤ 22

풀이| 코사인법칙에 의하여

$\overline{AC}^2=5^2+4^2-2\cdot5\cdot4\cdot\cos\frac{\pi}{3}$

$=25+16-40\cdot\frac{1}{2}$

$=21$

답| ④

02-1 기출 유사

$\overline{AB}=5$, $\overline{AC}=3\sqrt{2}$, $\angle BAC=\frac{\pi}{4}$인 $\triangle ABC$에서 $\overline{BC}$의 길이는?

① $\sqrt{11}$ ② $2\sqrt{3}$ ③ $\sqrt{13}$ ④ $\sqrt{14}$ ⑤ $\sqrt{15}$

다음과 같이 그림을 그리면 쉽게 이해할 수 있다.

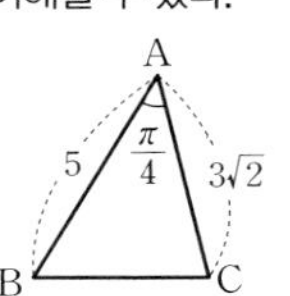

02-2 기초력 확인

$\overline{AB}=5$, $\overline{AC}=10$인 $\triangle ABC$에서 $\cos A=\frac{1}{5}$일 때, $\overline{BC}^2$의 값을 구하시오.

TIP

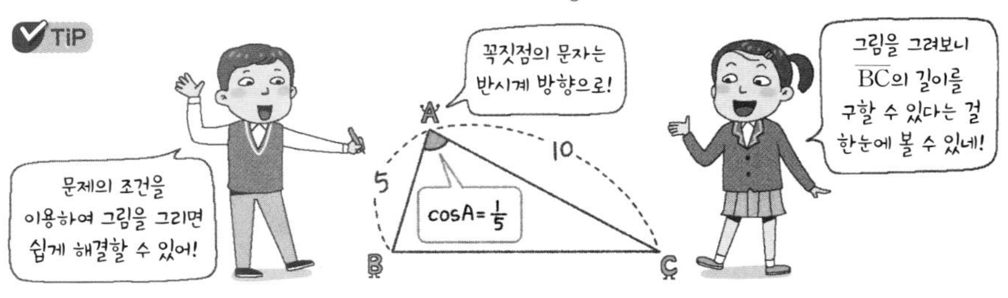

03 핵심 체크 코사인법칙과 각의 크기

△ABC에서 세 변의 길이 a, b, c를 알 때, 코사인법칙에 의하여

$$\cos A=\frac{b^2+c^2-\text{❶}\boxed{}}{2bc}$$

$$\cos \text{❷}\boxed{}=\frac{c^2+a^2-b^2}{2ca}$$

$$\cos C=\frac{a^2+b^2-c^2}{2\text{❸}\boxed{}}$$

답| ❶ a^2 ❷ B ❸ ab

기출 유형

$\overline{AB}=4$, $\overline{BC}=5$, $\overline{CA}=\sqrt{11}$인 △ABC에서 ∠ABC$=\theta$라 할 때, $\cos\theta$의 값은?

① $\frac{2}{3}$ ② $\frac{3}{4}$ ③ $\frac{4}{5}$

④ $\frac{5}{6}$ ⑤ $\frac{6}{7}$

풀이| 코사인법칙에 의하여

$$\cos\theta=\frac{c^2+a^2-b^2}{2ca}$$
$$=\frac{4^2+5^2-(\sqrt{11})^2}{2\cdot4\cdot5}$$
$$=\frac{3}{4}$$

답| ②

03-1 기출 유사

$\overline{AB}=4$, $\overline{BC}=\sqrt{7}$, $\overline{CA}=3$인 △ABC에서 $\cos A$의 값은?

① $\frac{2}{3}$ ② $\frac{3}{4}$ ③ $\frac{4}{5}$

④ $\frac{5}{6}$ ⑤ $\frac{6}{7}$

TIP

다음과 같이 그림을 그리면 쉽게 이해할 수 있다.

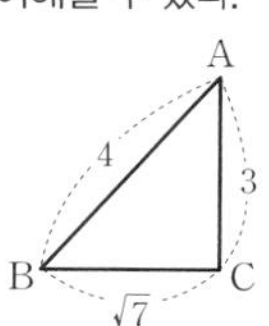

03-2 기초력 확인

오른쪽 그림과 같은 △ABC에서 $\overline{AB}=5$, $\overline{AC}=\sqrt{6}$, $\overline{BC}=4$일 때, $\cos B$의 값은?

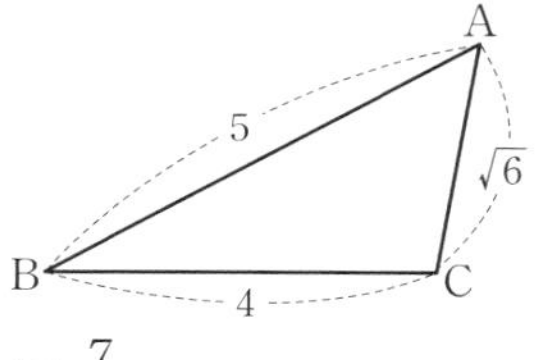

① $\frac{1}{4}$ ② $\frac{1}{2}$

③ $\frac{5}{8}$ ④ $\frac{3}{4}$

⑤ $\frac{7}{8}$

TIP

$$\cos B=\frac{c^2+a^2-b^2}{2ca}$$

04 핵심 체크 삼각형의 넓이

△ABC의 넓이를 S라 하면

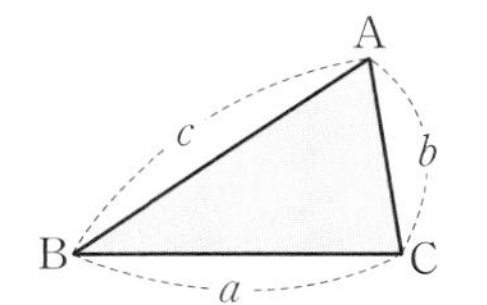

(1) 두 변의 길이와 그 끼인각의 크기를 알 때

$$S=\frac{1}{2}bc \text{ ❶ } \boxed{}=\frac{1}{2}ca\sin B=\frac{1}{2}ab \text{ ❷ } \boxed{}$$

(2) 외접원의 반지름의 길이 R를 알 때

$$S=\frac{\text{❸ } \boxed{}}{4R}=2R^2\sin A\sin B\sin C$$

답| ❶ $\sin A$ ❷ $\sin C$ ❸ abc

기출 유형

$\overline{\mathrm{AB}}=10$이고 넓이가 20인 △ABC에서 $\angle\mathrm{ABC}=\theta$라 할 때, $\sin\theta=\frac{2}{3}$이다. 이때 $\overline{\mathrm{BC}}$의 길이는?

① 4 ② 5 ③ 6
④ 7 ⑤ 8

풀이| $\triangle\mathrm{ABC}=\frac{1}{2}\cdot\overline{\mathrm{AB}}\cdot\overline{\mathrm{BC}}\cdot\sin\theta$

$=\frac{1}{2}\cdot10\cdot\overline{\mathrm{BC}}\cdot\frac{2}{3}$

$=\frac{10}{3}\overline{\mathrm{BC}}$

즉 $\frac{10}{3}\overline{\mathrm{BC}}=20$이므로 $\overline{\mathrm{BC}}=6$

답| ③

04-1 기출 유사

$\overline{\mathrm{AB}}=6$, $\overline{\mathrm{AC}}=10$이고 넓이가 15인 △ABC에서 $\angle\mathrm{BAC}=\theta$일 때, $\sin\theta$의 값은?

① $\frac{1}{3}$ ② $\frac{1}{2}$ ③ $\frac{\sqrt{2}}{2}$
④ $\frac{\sqrt{3}}{2}$ ⑤ 1

TiP
다음과 같이 그림을 그리면 쉽게 이해할 수 있다.

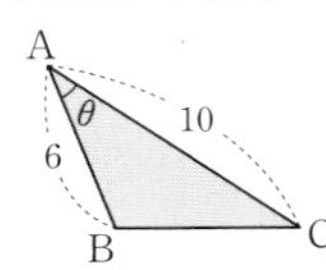

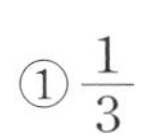

04-2 기초력 확인

다음을 읽고, △ABC를 경계로 조사 구역을 설정했을 때, 조사 구역의 넓이를 구하시오.

TiP
$\triangle\mathrm{ABC}$
$=\frac{1}{2}\cdot\overline{\mathrm{AC}}\cdot\overline{\mathrm{AB}}\cdot\sin A$

기초력 집중드릴

해결 전략

오른쪽 그림의 △ABC에서 외접원의 반지름의 길이를 R라 하면

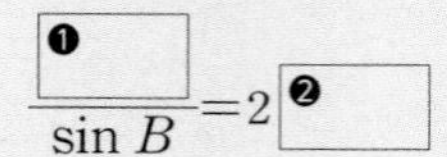

답| ❶ $\overline{\mathrm{AC}}$ ❷ R

01 반지름의 길이가 40 m인 원 모양의 공원에 오른쪽 그림과 같이 세 지점 A, B, C를 연결하는 산책로를 만들려고 한다. $\sin B=\frac{3}{4}$일 때, 두 지점 A, C 사이의 거리를 구하시오.

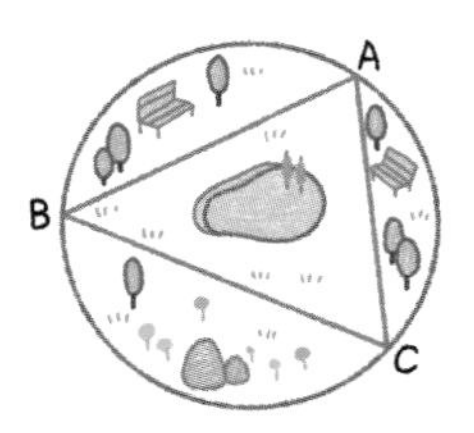

해결 전략

△ABC의 외접원의 반지름의 길이를 R라 하면

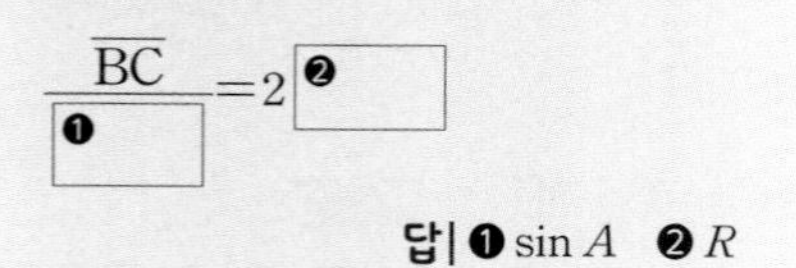

답| ❶ $\sin A$ ❷ R

02 반지름의 길이가 10인 원에 내접하는 △ABC에서 $\overline{\mathrm{BC}}=15$일 때, $8\sin A$의 값은?

① 3 ② 4 ③ 5
④ 6 ⑤ 7

해결 전략

❶ [ ] 법칙을 이용하여 $\sin B$의 값을 구한 후 $\sin B$의 값을

$$\sin^2 B+\cos^2 B=\text{❷ [ ]}$$

에 대입하여 $\cos^2 B$의 값을 구한다.

답| ❶ 사인 ❷ 1

03 반지름의 길이가 5인 원에 내접하는 △ABC에서 $\overline{\mathrm{AC}}=6$일 때, $25\cos^2 B$의 값을 구하시오.

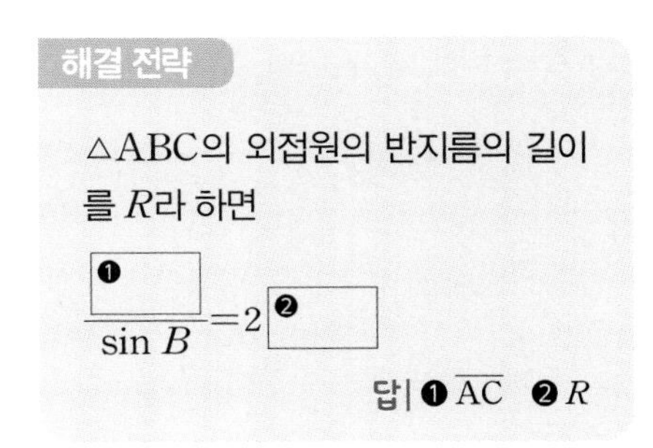

해결 전략

△ABC의 외접원의 반지름의 길이를 R라 하면

$\dfrac{❶\boxed{}}{\sin B}=2\,❷\boxed{}$

답| ❶ $\overline{\text{AC}}$ ❷ R

04 오른쪽 그림과 같이 반지름의 길이가 R인 원에 내접하는 △ABC에서 $\overline{\text{AC}}=10$, $\sin B=\frac{1}{3}$일 때, R의 값은?

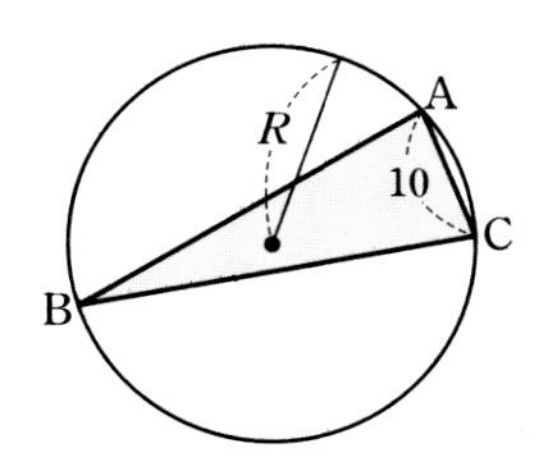

① 13 ② 14
③ 15 ④ 16
⑤ 17

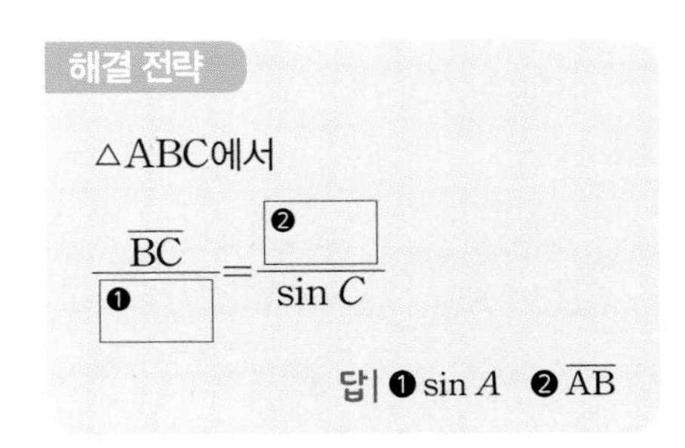

해결 전략

△ABC에서

$\dfrac{\overline{\text{BC}}}{❶\boxed{}}=\dfrac{❷\boxed{}}{\sin C}$

답| ❶ $\sin A$ ❷ $\overline{\text{AB}}$

05 다음 그림과 같이 A, B, C 세 마을이 삼각형 모양으로 길이 이어져 있다. B 마을에서 C 마을까지의 거리를 나타내는 표지판을 설치할 때, $\square$ 안에 알맞은 수를 구하시오.

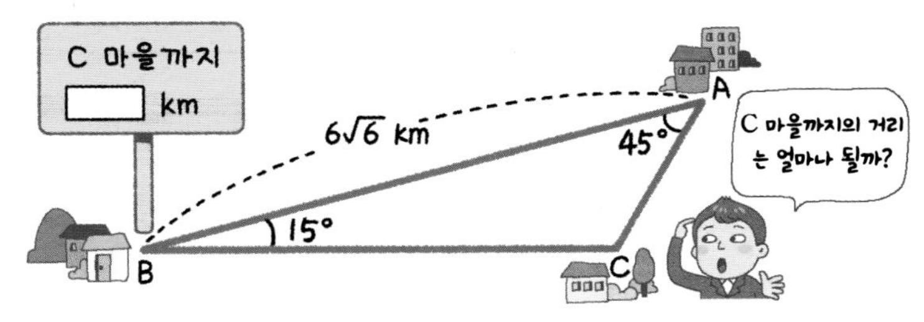

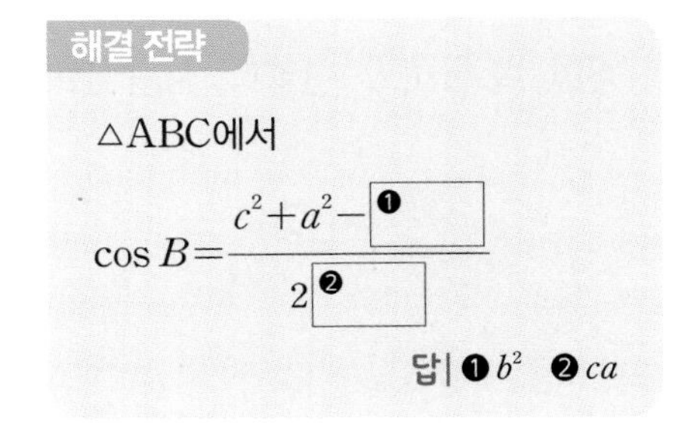

해결 전략

△ABC에서

$\cos B=\dfrac{c^2+a^2-❶\boxed{}}{2\,❷\boxed{}}$

답| ❶ b^2 ❷ ca

06 △ABC에서 $\overline{\text{AB}}=5$, $\overline{\text{BC}}=6$, $\overline{\text{CA}}=\sqrt{21}$일 때, $\cos B$의 값은?

① $\frac{2}{3}$ ② $\frac{3}{4}$ ③ $\frac{4}{5}$
④ $\frac{5}{6}$ ⑤ $\frac{6}{7}$

해결 전략

$\triangle$ABC에서

$b^2=c^2+$ ❶ ☐ $-2ca$ ❷ ☐

답| ❶ a^2 ❷ $\cos B$

07 $\triangle$ABC에서 $\overline{AB}=5$, $\overline{BC}=6$, $\cos B=\frac{1}{3}$일 때, $\overline{AC}$의 길이는?

① $\sqrt{39}$ ② $2\sqrt{10}$ ③ $\sqrt{41}$
④ $\sqrt{42}$ ⑤ $\sqrt{43}$

해결 전략

오른쪽 그림의 $\triangle$ABC에서

$\overline{BC}=a$, $\overline{CA}=b$, $\overline{AB}=c$이므로

$a^2=b^2+$ ❶ ☐ $-2bc$ ❷ ☐

답| ❶ c^2 ❷ $\cos A$

08 수상스키를 타고 있는 두 사람의 A 지점에서의 거리가 각각 3 km, 4 km이다. $\tan A=2\sqrt{2}$일 때, 두 사람 B, C 사이의 거리는?

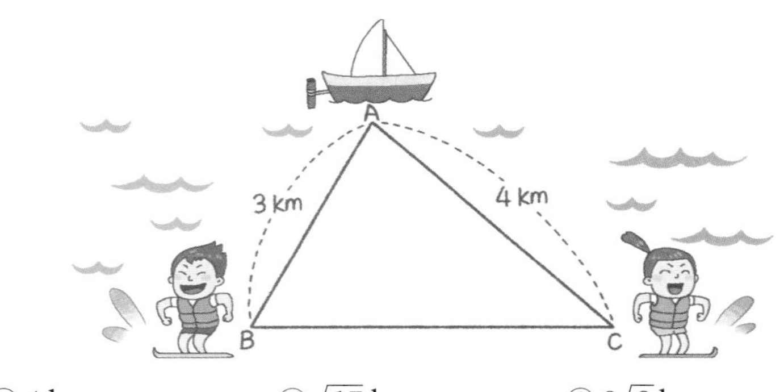

① 4 km ② $\sqrt{17}$ km ③ $3\sqrt{2}$ km
④ $\sqrt{19}$ km ⑤ $2\sqrt{5}$ km

해결 전략

$\overline{AB}$, $\overline{AC}$의 길이가 주어졌으므로

$\triangle ABC=\frac{1}{2}\cdot\overline{AC}\cdot\overline{AB}\cdot$ ❶ ☐

답| ❶ $\sin A$

09 $\overline{AB}=2$, $\overline{AC}=\sqrt{7}$인 예각삼각형 ABC의 넓이가 $\sqrt{6}$일 때, $\sin A$의 값은?

① $\frac{\sqrt{38}}{7}$ ② $\frac{\sqrt{39}}{7}$ ③ $\frac{2\sqrt{10}}{7}$
④ $\frac{\sqrt{41}}{7}$ ⑤ $\frac{\sqrt{42}}{7}$

해결 전략

반지름의 길이가 r, 중심각의 크기가 θ(라디안)인 부채꼴의 호의 길이를 l이라 하면

$l=r$ ❶ [ ]

답| ❶ θ

10 오른쪽 그림과 같이 중심각의 크기가 $\frac{\pi}{3}$인 부채꼴 OAB의 호의 길이가 2π일 때, $\triangle$OAB의 넓이는?

① $2\sqrt{3}$　　② $\frac{9\sqrt{3}}{2}$　　③ $\frac{13\sqrt{3}}{2}$　　④ $\frac{15\sqrt{3}}{2}$　　⑤ $9\sqrt{3}$

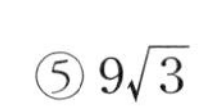

해결 전략

오른쪽 그림에서 $\overline{AB}$의 길이와 $\sin\theta$의 값이 주어졌으므로 $\triangle$ABC의 넓이를 S라 하면

$S=\frac{1}{2}\cdot$ ❶ [ ] $\cdot\overline{BC}\cdot$ ❷ [ ]

답| ❶ $\overline{AB}$ ❷ $\sin\theta$

11 오른쪽 그림과 같이 $\overline{AB}=15$이고 넓이가 50인 $\triangle$ABC에서 $\sin\theta=\frac{2}{3}$일 때, $\overline{BC}$의 길이를 구하시오.

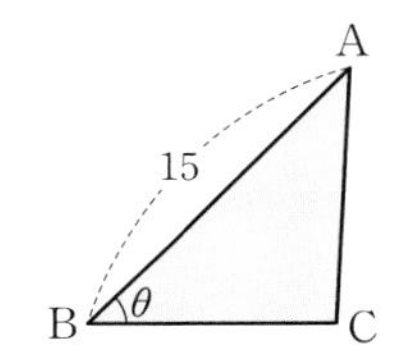

해결 전략

오른쪽 그림과 같은 마름모 ABCD에서 $\overline{AB}=a$, 넓이를 S라 하면

$S=$ ❶ $[\ ]^2\sin\theta$

답| ❶ a

12 다음을 읽고, 오른쪽 그림과 같은 마름모 ABCD에서 $\overline{AB}=8$, $\sin\theta=\frac{3}{4}$일 때, 마름모 ABCD의 넓이를 구하시오.

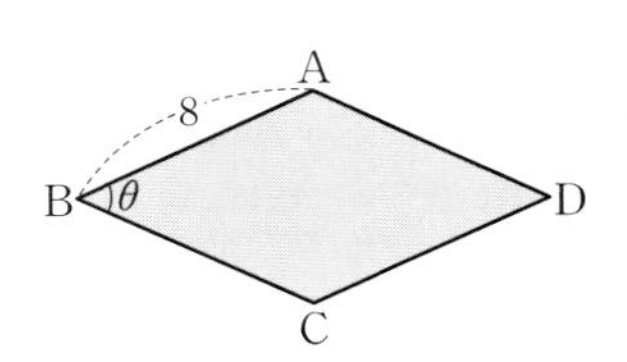

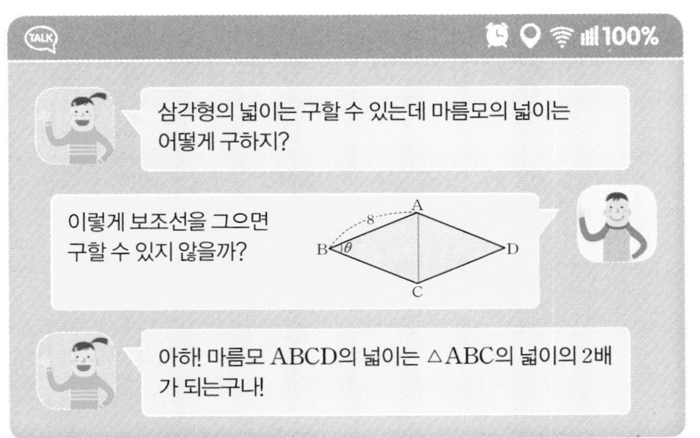

06 일차

매일 매일 공부하는 미리보기

1일차 2일차 3일차 4일차

등차수열 체험관

등차수열과 그 합

① 첫째항이 a, 공차가 d인 등차수열의 일반항 a_n은

$a_n = a + (n-1)d \ (n = 1, 2, 3, \cdots)$

② 등차수열의 첫째항부터 제n항까지의 합을 S_n이라 하면

- 첫째항이 a, 제n항이 l일 때, $S_n = \dfrac{n(a+l)}{2}$
- 첫째항이 a, 공차가 d일 때, $S_n = \dfrac{n\{2a+(n-1)d\}}{2}$

체험 완료

공부할 내용

5일차 6일차 7일차

등비수열 체험관

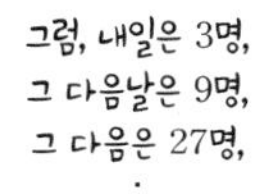

등비수열과 그 합

첫째항이 a, 공비가 $r(r \neq 0)$인 등비수열에 대하여

① 일반항을 a_n이라 하면 $a_n = ar^{n-1}(n=1, 2, 3, \cdots)$

② 첫째항부터 제n항까지의 합을 S_n이라 하면

- $r \neq 1$일 때, $S_n = \dfrac{a(1-r^n)}{1-r} = \dfrac{a(r^n-1)}{r-1}$
- $r = 1$일 때, $S_n = na$

체험 완료

01 핵심 체크 등차수열

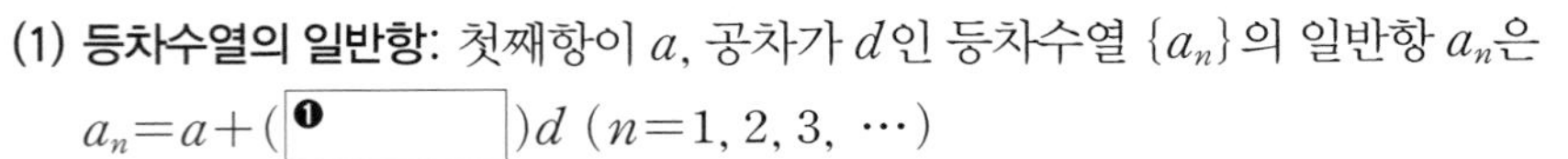

(1) 등차수열의 일반항: 첫째항이 a, 공차가 d인 등차수열 $\{a_n\}$의 일반항 a_n은

$a_n=a+($❶ $\square$$)d$ $(n=1, 2, 3, \cdots)$

(2) 등차중항: 세 수 a, b, c가 이 순서대로 등차수열을 이룰 때

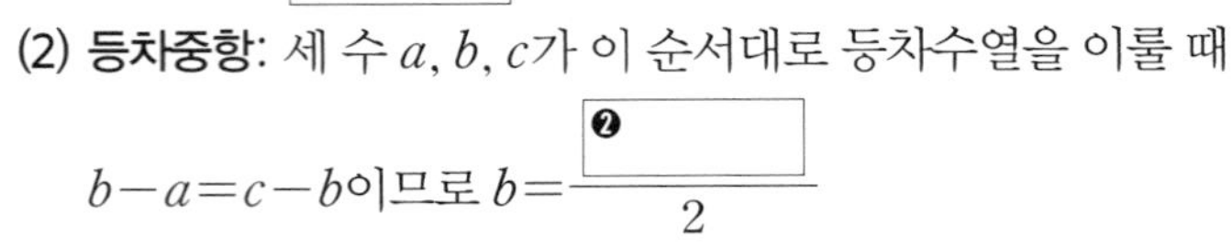

$b-a=c-b$이므로 $b=\dfrac{❷ \square}{2}$

(3) 등차수열의 합: 등차수열의 첫째항부터 제n항까지의 합을 S_n이라 하면

① 첫째항이 a, 제n항이 l이면 $S_n=\dfrac{❸ \square (a+l)}{2}$

② 첫째항이 a, 공차가 d이면 $S_n=\dfrac{n\{2a+(❹ \square)d\}}{2}$

답| ❶ $n-1$ ❷ $a+c$ ❸ n ❹ $n-1$

기출 유형

첫째항이 3이고 공차가 2인 등차수열 $\{a_n\}$에 대하여 a_3의 값은?

① 5 ② 7 ③ 9
④ 11 ⑤ 13

풀이| $a_n=3+(n-1)\cdot 2=2n+1$이므로

$a_3=2\cdot 3+1=7$

답| ②

01-1 기출 유사

등차수열 $\{a_n\}$에 대하여 $a_1=1$, $a_4-a_2=4$일 때, a_5의 값은?

① 5 ② 7 ③ 9
④ 11 ⑤ 13

TiP
등차수열 $\{a_n\}$의 공차를 d라 하면 $a_4-a_2=2d$

01-2 기초력 확인

등차수열 $\{a_n\}$에 대하여 $a_2=3$, $a_3=2$일 때, a_4의 값을 구하시오.

TiP
등차수열 $\{a_n\}$의 공차를 d라 하면 $d=a_3-a_2$

· 정답과 풀이 23쪽

02 핵심 체크 등비수열

(1) **등비수열의 일반항**: 첫째항이 a, 공비가 $r(r\neq0)$인 등비수열 $\{a_n\}$의 일반항 a_n은

$a_n=$ ❶ ______ r^{n-1} $(n=1, 2, 3, \cdots)$

(2) **등비중항**: 0이 아닌 세 수 a, b, c가 이 순서대로 등비수열을 이룰 때

$\frac{b}{a}=\frac{c}{b}$이므로 $b^2=$ ❷ ______

(3) **등비수열의 합**: 첫째항이 a, 공비가 $r(r\neq0)$인 등비수열의 첫째항부터 제n항까지의 합을 S_n이라 하면

① $r\neq1$이면 $S_n=\frac{a(1-r^n)}{1-r}=\frac{a(r^n-1)}{r-1}$

② $r=1$이면 $S_n=$ ❸ ______

답| ❶ a ❷ ac ❸ na

기출 유형

공비가 2인 등비수열 $\{a_n\}$에 대하여 $a_2=1$일 때, a_4의 값은?

① 1 ② 2 ③ 3
④ 4 ⑤ 5

풀이| $a_3=a_2\cdot2=1\cdot2=2$이므로

$a_4=a_3\cdot2=2\cdot2=4$

답| ④

02-1 기출 유사

등비수열 $\{a_n\}$에 대하여 $a_2=3$, $a_3=12$일 때, $\frac{a_2}{a_1}$의 값은?

① 1 ② 2 ③ 3
④ 4 ⑤ 5

TiP
등비수열 $\{a_n\}$의 공비를 r라 하면
$r=\frac{a_2}{a_1}=\frac{a_3}{a_2}=\frac{a_4}{a_3}=\cdots$

02-2 기초력 확인

공비가 3인 등비수열 $\{a_n\}$에 대하여 $a_2=12$일 때, a_3의 값은?

① 28 ② 30 ③ 32
④ 34 ⑤ 36

TiP
등비수열 $\{a_n\}$의 공비를 r라 하면 $a_3=a_2r$

03 핵심 체크 합의 기호 $\sum$와 그 성질

(1) 수열 $\{a_n\}$의 첫째항부터 제n항까지의 합을 기호 $\sum$를 사용하여

$$a_1+a_2+a_3+\cdots+a_n=\sum_{k=1}^{n}a_k$$

와 같이 나타낸다.

(2) **$\sum$의 성질:** 두 수열 $\{a_n\}$, $\{b_n\}$과 상수 c에 대하여

① $\sum_{k=1}^{n}(a_k+b_k)=\sum_{k=1}^{n}a_k$ ❶ $\sum_{k=1}^{n}b_k$ 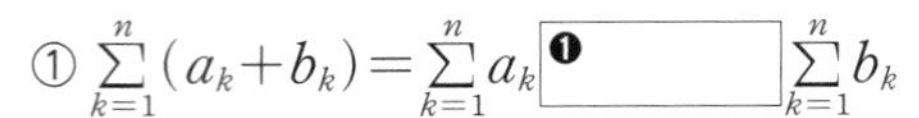

② $\sum_{k=1}^{n}(a_k-b_k)=\sum_{k=1}^{n}a_k$ ❷ $\sum_{k=1}^{n}b_k$ 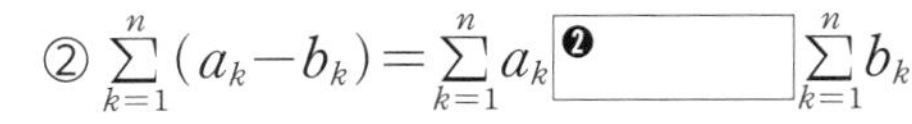

③ $\sum_{k=1}^{n}ca_k=c\sum_{k=1}^{n}a_k$

④ $\sum_{k=1}^{n}c=$ ❸ 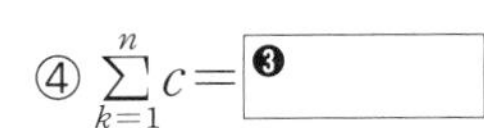

답| ❶ $+$ ❷ $-$ ❸ cn

기출 유형

두 수열 $\{a_n\}$, $\{b_n\}$에 대하여

$$\sum_{k=1}^{10}a_k=5,\ \sum_{k=1}^{10}b_k=3$$

일 때, $\sum_{k=1}^{10}(a_k-b_k)$의 값은?

① 1　② 2　③ 3
④ 4　⑤ 5

풀이| $\sum_{k=1}^{10}(a_k-b_k)=\sum_{k=1}^{10}a_k-\sum_{k=1}^{10}b_k$
$=5-3$
$=2$

답| ②

03-1 기출 유사

두 수열 $\{a_n\}$, $\{b_n\}$에 대하여 $\sum_{k=1}^{5}a_k=5$, $\sum_{k=1}^{5}(2a_k+b_k)=13$일 때, $\sum_{k=1}^{5}b_k$의 값은?

① 1　② 2　③ 3
④ 4　⑤ 5

TIP
$\sum_{k=1}^{5}(2a_k+b_k)$
$=2\sum_{k=1}^{5}a_k+\sum_{k=1}^{5}b_k$

03-2 기초력 확인

$\sum_{k=1}^{5}\frac{1}{k}=a+\sum_{k=1}^{4}\frac{1}{k+1}$을 만족시킬 때, 상수 a의 값은?

① $\frac{1}{6}$　② $\frac{1}{3}$　③ $\frac{1}{2}$
④ $\frac{2}{3}$　⑤ 1

TIP
기호 $\sum$를 사용하지 않은 합의 꼴로 나타낸다.

04 핵심 체크 수열의 합과 일반항의 관계

수열 $\{a_n\}$의 첫째항부터 제n항까지의 합을 S_n이라 하면

$$a_1=S_1,\ a_n=S_n-S_{n-1}\ (n\geq 2)$$

예 수열 $\{a_n\}$의 첫째항부터 제n항까지의 합이 $S_n=n^2$일 때

$a_1=$ ❶ [　　　] $=1^2=1$ ...... ㉠

$a_n=S_n-$ ❷ [　　　] $=n^2-(n-1)^2=$ ❸ [　　　] $(n\geq 2)$ ...... ㉡

이때 ㉠은 ㉡에 $n=1$을 대입한 것과 같으므로 $a_n=2n-1$

개념 플러스
수열의 합 S_n과 일반항 a_n의 관계는 모든 수열에서 성립한다.

답 | ❶ S_1 ❷ S_{n-1} ❸ $2n-1$

기출 유형

수열 $\{a_n\}$이 모든 자연수 n에 대하여 $\sum_{k=1}^{n} a_k=n^2+5n$일 때, a_3의 값은?

① 8　② 10　③ 12　④ 14　⑤ 16

풀이 | $a_3=S_3-S_2$

$=\sum_{k=1}^{3} a_k-\sum_{k=1}^{2} a_k$

$=(3^2+5\cdot3)-(2^2+5\cdot2)$

$=24-14=10$

답 | ②

04-1 기출 유사

수열 $\{a_n\}$의 첫째항부터 제n항까지의 합 S_n이 $S_n=n^3+n$일 때, a_4의 값은?

① 34　② 36　③ 38　④ 40　⑤ 42

04-2 기초력 확인

수열 $\{a_n\}$의 첫째항부터 제n항까지의 합 S_n이 $S_n=n^2+n+1$일 때, a_2의 값은?

① 1　② 2　③ 3　④ 4　⑤ 5

$a_n=S_n-S_{n-1}$이므로
$a_2=S_2-S_1$

기초력 집중드릴

해결 전략

첫째항이 a이고 공차가 d인 등차수열 $\{a_n\}$의 일반항 a_n은

$a_n=$ ❶ $\square$ $+($ ❷ $\square$ $)d$

답| ❶ a ❷ $n-1$

01 첫째항이 1이고 공차가 4인 등차수열 $\{a_n\}$에 대하여 a_3의 값은?

① 5 ② 7 ③ 9
④ 11 ⑤ 13

해결 전략

공차가 d인 등차수열 $\{a_n\}$에서

$a_2=a_1+$ ❶ $\square$

$a_3=a_2+d=a_1+$ ❷ $\square$

$a_4=a_3+d=a_2+$ ❸ $\square$

답| ❶ d ❷ $2d$ ❸ $2d$

02 등차수열 $\{a_n\}$에 대하여 $a_2=5$, $a_4=11$일 때, a_6의 값은?

① 17 ② 18
③ 19 ④ 20
⑤ 21

해결 전략

등차수열 $\{a_n\}$에서 a_3, a_5, a_7은 이 순서대로 등차수열을 이루므로 a_5는 a_3과 a_7의 ❶ $\square$ 이다.

⇨ $a_5=\dfrac{a_3+a_7}{❷\ \square}$

답| ❶ 등차중항 ❷ 2

03 등차수열 $\{a_n\}$에 대하여 $a_3+a_7=16$일 때, a_5의 값은?

① 6 ② 7 ③ 8
④ 9 ⑤ 10

해결 전략

세 수 a, b, c가 이 순서대로 등차수열을 이룰 때, b는 a와 c의 ❶ ☐ 이다.

⇨ $b=\frac{❷ ☐}{2}$

답| ❶ 등차중항 ❷ $a+c$

04 다음을 읽고, a의 값을 구하시오.

해결 전략

첫째항이 a이고 공비가 $r(r\neq0)$인 등비수열 $\{a_n\}$의 일반항 a_n은

$a_n=$ ❶ ☐ r^{n-1}

답| ❶ a

05 공비가 3인 등비수열 $\{a_n\}$에 대하여 $a_2=6$일 때, a_4의 값은?

① 46　② 48　③ 50　④ 52　⑤ 54

해결 전략

첫째항이 a이고 공비가 $r(r\neq0)$인 등비수열 $\{a_n\}$의 일반항 a_n은

$a_n=$ ❶ ☐ r^{n-1}

답| ❶ a

06 첫째항이 1이고 공비가 양수인 등비수열 $\{a_n\}$에 대하여 $a_3=a_2+6$일 때, a_4의 값은?

① 18　② 21　③ 24　④ 27　⑤ 30

해결 전략

세 수 a, b, c가 이 순서대로 등비수열을 이룰 때, b는 a와 c의 ❶ ☐ 이다.

⇨ $b^2=$ ❷ ☐

답| ❶ 등비중항 ❷ ac

07 세 수 2, -4, k가 이 순서대로 등비수열을 이룰 때, 오른쪽 그림의 보물 상자를 열 수 있는 열쇠를 구하시오.

해결 전략

첫째항이 a이고 공비가 $r(r\neq1)$인 등비수열 $\{a_n\}$에 대하여

$$\sum_{k=1}^{5}a_k=\frac{❶\ ☐\ (r^5-1)}{❷\ ☐\ -1}$$

답| ❶ a ❷ r

08 공비가 2인 등비수열 $\{a_n\}$이 $\sum_{k=1}^{5}a_k=93$을 만족시킬 때, a_6의 값을 구하시오.

해결 전략

$\sum_{k=1}^{10}(a_k+3b_k)$

$=\sum_{k=1}^{10}a_k+\sum_{k=1}^{10}$ ❶ ☐

$=\sum_{k=1}^{10}a_k+$ ❷ ☐ $\sum_{k=1}^{10}b_k$

답| ❶ $3b_k$ ❷ 3

09 두 수열 $\{a_n\}$, $\{b_n\}$에 대하여

$$\sum_{k=1}^{10}a_k=10,\ \sum_{k=1}^{10}b_k=3$$

일 때, $\sum_{k=1}^{10}(a_k+3b_k)$의 값은?

① 17 ② 18 ③ 19
④ 20 ⑤ 21

해결 전략

$\sum_{k=1}^{10}(a_k+1)^2$

$=\sum_{k=1}^{10}\{($ ❶ $)^2+2a_k+$ ❷ $\}$

답| ❶ a_k ❷ 1

10

수열 $\{a_n\}$에 대하여

$$\sum_{k=1}^{10}a_k=3,\ \sum_{k=1}^{10}(a_k+1)^2=35$$

일 때, $\sum_{k=1}^{10}(a_k)^2$의 값을 구하시오.

해결 전략

수열 $\{a_n\}$의 첫째항부터 제n항까지의 합을 S_n이라 하면

$a_1=$ ❶

$a_n=S_n-$ ❷ $(n\geq2)$

답| ❶ S_1 ❷ S_{n-1}

11

다음 조건에 맞는 점수를 명중시키면 상품을 받을 때, 민수는 몇 점을 맞혀야 하는지 구하시오.

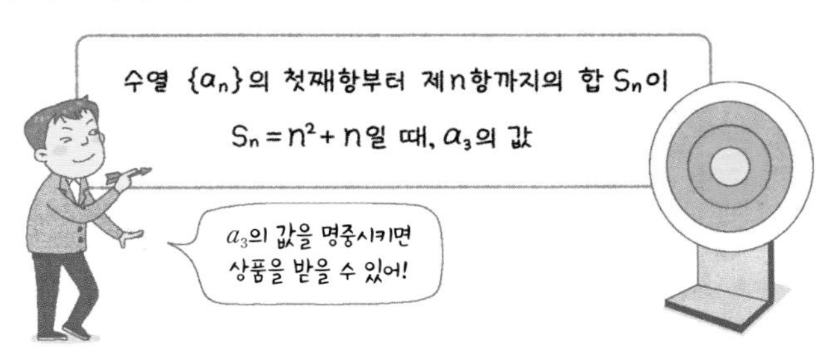

해결 전략

$a_n=\sum_{k=1}^{❶}a_k-\sum_{k=1}^{❷}a_k\ (n\geq2)$

답| ❶ n ❷ $n-1$

12

수열 $\{a_n\}$에 대하여 $\sum_{k=1}^{n}a_k=2^n+3$일 때, a_5의 값은?

① 12　② 13　③ 14　④ 15　⑤ 16

07 일차

1일차 2일차 3일차 4일차

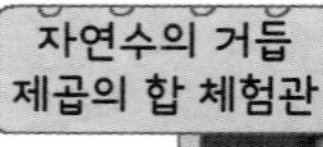

$$\frac{10^2+11^2+12^2+13^2+14^2}{365}$$

이 그림 좀 봐. 작품명이 "암산"이래!! 수학자가 그렸나?

말도 안 돼!!! 저걸 어떻게 암산으로 푼다는 거지?

음. $\sum$를 배웠으니까. 분자는 $\sum_{k=1}^{14} k^2 - \sum_{k=1}^{9} k^2$인데…

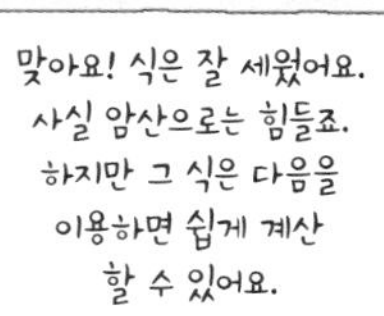

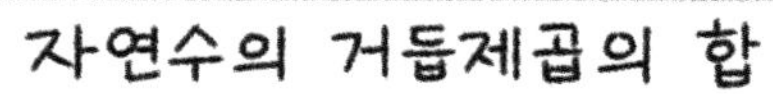

① $1+2+3+\cdots+n=\sum_{k=1}^{n} k=\frac{n(n+1)}{2}$

② $1^2+2^2+3^2+\cdots+n^2=\sum_{k=1}^{n} k^2=\frac{n(n+1)(2n+1)}{6}$

③ $1^3+2^3+3^3+\cdots+n^3=\sum_{k=1}^{n} k^3=\left\{\frac{n(n+1)}{2}\right\}^2$

체험 완료

공부할 내용

01 자연수의 거듭제곱의 합

02 여러 가지 수열의 합

03 수열의 귀납적 정의

04 등차수열과 등비수열의 귀납적 정의

5일차 6일차 7일차

귀납적 정의의 체험관

앞의 도미노(a_n)가
쓰러지면 뒤의 도미노
(a_{n+1})도 쓰러진다.

귀납적 정의

일반적으로 수열 $\{a_n\}$은 다음과 같이 귀납적으로 정의할 수 있다.

① a_1의 값(첫째항의 값)

② 두 항 a_n, a_{n+1} 사이의 관계식($n=1, 2, 3, \cdots$)

01 핵심 체크 자연수의 거듭제곱의 합

(1) $1+2+3+\cdots+n=\sum_{k=1}^{n} k=\frac{\boxed{❶\quad}(n+1)}{2}$

(2) $1^2+2^2+3^2+\cdots+n^2=\sum_{k=1}^{n} k^2=\frac{n(n+1)(2n+1)}{\boxed{❷\quad}}$

(3) $1^3+2^3+3^3+\cdots+n^3=\sum_{k=1}^{n} k^3=\left\{\frac{n(n+1)}{\boxed{❸\quad}}\right\}^2$

답| ❶ n ❷ 6 ❸ 2

기출 유형

$\sum_{k=1}^{10}(k+1)$의 값은?

① 45 ② 50 ③ 55
④ 60 ⑤ 65

풀이| $\sum_{k=1}^{10}(k+1)=\sum_{k=1}^{10}k+\sum_{k=1}^{10}1$

$=\frac{10(10+1)}{2}+1\cdot 10$

$=55+10$

$=65$

답| ⑤

01-1 기출 유사

다음 중 $\sum_{k=1}^{10}(k+2)-\sum_{k=1}^{10}(k-1)$의 값을 옳게 적은 학생을 고르시오.

TIP
$\sum_{k=1}^{10}(k+2)-\sum_{k=1}^{10}(k-1)$
$=\sum_{k=1}^{10}\{(k+2)-(k-1)\}$

01-2 기초력 확인

$\sum_{k=1}^{5}k^2$의 값을 구하시오.

TIP
$\sum_{k=1}^{n}k^2=\frac{n(n+1)(2n+1)}{6}$
에 $n=5$를 대입한다.

02 핵심 체크 여러 가지 수열의 합

(1) 분수 꼴인 수열의 합: 일반항이 분수 꼴이고, 분모가 두 일차식의 곱으로 나타나는 수열의 합을 구할 때는 다음 등식을 이용하면 편리하다.

$$\frac{1}{AB}=\frac{1}{\boxed{❶\quad}}\left(\frac{1}{A}-\frac{1}{B}\right)\ (\text{단, } A\neq B)$$

개념 플러스

$$\frac{1}{k(k+■)}=\frac{1}{■}\left(\frac{1}{k}-\frac{1}{k+■}\right)$$

(2) 근호가 포함된 수열의 합: 분모에 근호를 포함한 수열의 합은 다음과 같이 분모를 유리화하여 구한다.

$$\frac{1}{\sqrt{A}+\sqrt{B}}=\frac{1}{\boxed{❷\quad}}(\sqrt{A}-\sqrt{B})\ (\text{단, } A\neq B)$$

답 | ❶ $B-A$ ❷ $A-B$

기출 유형

$\sum_{k=1}^{4}\left(\frac{1}{k}-\frac{1}{k+1}\right)$의 값은?

① $\frac{2}{3}$ ② $\frac{3}{4}$ ③ $\frac{4}{5}$

④ 1 ⑤ $\frac{5}{4}$

풀이 | $\sum_{k=1}^{4}\left(\frac{1}{k}-\frac{1}{k+1}\right)$

$=\left(1-\frac{1}{2}\right)+\left(\frac{1}{2}-\frac{1}{3}\right)+\left(\frac{1}{3}-\frac{1}{4}\right)+\left(\frac{1}{4}-\frac{1}{5}\right)$

$=1-\frac{1}{5}=\frac{4}{5}$

답 | ③

02-1 기출 유사

$\sum_{k=1}^{10}\frac{1}{k(k+1)}$의 값은?

① $\frac{5}{6}$ ② $\frac{6}{5}$ ③ $\frac{9}{10}$

④ $\frac{10}{9}$ ⑤ $\frac{10}{11}$

02-2 기초력 확인

$\sum_{k=1}^{3}(\sqrt{k+1}-\sqrt{k})$의 값을 구하시오.

기호 $\sum$를 사용하지 않은 합의 꼴로 나타낸다.

03 핵심 체크 수열의 귀납적 정의

(1) **수열의 귀납적 정의:** 수열을 처음 몇 개의 항의 값과 이웃하는 여러 항 사이의 ❶ [ ] 으로 정의하는 것을 ❷ [ ] 정의라 한다.

(2) 일반적으로 수열 $\{a_n\}$은 다음과 같이 귀납적으로 정의할 수 있다.

① a_1의 값(첫째항의 값)

② 두 항 a_n, a_{n+1} $(n=1, 2, 3, \cdots)$ 사이의 관계식

②의 관계식에 $n=1, 2, 3, \cdots$을 대입하면 수열 $\{a_n\}$의 모든 항을 구할 수 있어!

답| ❶ 관계식 ❷ 귀납적

기출 유형

수열 $\{a_n\}$이 모든 자연수 n에 대하여

$$a_1=1,\ a_{n+1}=a_n+n$$

을 만족시킬 때, a_3의 값은?

① 1 ② 2 ③ 3

④ 4 ⑤ 5

풀이| $a_2=a_1+1=1+1=2$이므로

$a_3=a_2+2=2+2=4$

답| ④

03-1 기출 유사

수열 $\{a_n\}$이 모든 자연수 n에 대하여

$$a_1=6,\ a_{n+1}=\frac{n}{n+1}a_n$$

을 만족시킬 때, a_3의 값은?

① 1 ② 2 ③ 3

④ 4 ⑤ 5

TiP

$n=1$을 대입하면 a_2의 값을, $n=2$를 대입하면 a_3의 값을 구할 수 있다.

03-2 기초력 확인

수열 $\{a_n\}$이 모든 자연수 n에 대하여

$$a_1=1,\ a_{n+1}+a_n=2n$$

을 만족시킬 때, a_2의 값을 구하시오.

$a_{n+1}+a_n=2n$

$n=1$ 대입

$a_2+a_1=2\cdot 1$

$n=1$을 대입하면 a_2의 값을 구할 수 있어!

· 정답과 풀이 28쪽

04 핵심 체크 등차수열과 등비수열의 귀납적 정의

(1) 등차수열의 귀납적 정의: 수열 $\{a_n\}$에서 $n=1, 2, 3, \cdots$일 때

① $a_1=a,\ a_{n+1}=a_n+d$ ⇨ 첫째항이 a, 공차가 ❶ [   ] 인 등차수열

② $a_{n+1}-a_n=d$ 또는 $a_{n+1}=a_n+d$ ⇨ 공차가 ❷ [   ] 인 등차수열

(2) 등비수열의 귀납적 정의: 수열 $\{a_n\}$에서 $n=1, 2, 3, \cdots$일 때

① $a_1=a,\ a_{n+1}=ra_n$ ⇨ 첫째항이 a, 공비가 ❸ [   ] 인 등비수열

② $\frac{a_{n+1}}{a_n}=r$ 또는 $a_{n+1}=ra_n$ ⇨ 공비가 ❹ [   ] 인 등비수열

답| ❶ d ❷ d ❸ r ❹ r

기출 유형

수열 $\{a_n\}$이 모든 자연수 n에 대하여

$$a_1=1,\ a_{n+1}=a_n+3$$

을 만족시킬 때, a_4의 값은?

① 10 ② 11 ③ 12 ④ 13 ⑤ 14

풀이| 수열 $\{a_n\}$은 첫째항이 1이고 공차가 3인 등차수열이므로

$a_n=1+(n-1)\cdot 3=3n-2$

$\therefore a_4=3\cdot 4-2=10$

답| ①

04-1 기출 유사

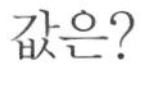

수열 $\{a_n\}$이 $a_1=1,\ a_{n+1}=2a_n\ (n=1, 2, 3, \cdots)$을 만족시킬 때, a_5의 값은?

① 8 ② 16 ③ 32 ④ 48 ⑤ 64

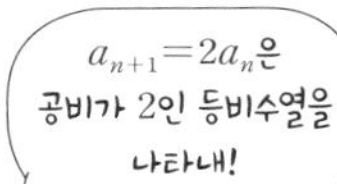

04-2 기초력 확인

수열 $\{a_n\}$이 모든 자연수 n에 대하여

$$a_1=1,\ a_{n+1}=a_n+2$$

를 만족시킬 때, a_2의 값을 구하시오.

$a_{n+1}=a_n+2$는 공차가 2인 등차수열을 나타낸다.

기초력 집중드릴

해결 전략

$f(2k)=\frac{1}{2}\cdot$ ❶ $\square$ $+1$

$=$ ❷ $\square$ $+1$

답| ❶ $2k$ ❷ k

01 함수 $f(x)=\frac{1}{2}x+1$에 대하여 $\sum_{k=1}^{10}f(2k)$의 값은?

① 61 ② 63 ③ 65 ④ 67 ⑤ 69

$f(2k)$를 먼저 구한 후 이것을 $\sum_{k=1}^{10}f(2k)$에 대입해!

해결 전략

두 수열 $\{a_n\}$, $\{b_n\}$에 대하여

$\sum_{k=1}^{n}(a_k-b_k)=\sum_{k=1}^{n}a_k$ ❶ $\square$ $\sum_{k=1}^{n}b_k$

답| ❶ $-$

02 $\sum_{k=1}^{10}(k+1)^2-\sum_{k=1}^{10}(k-1)^2$의 값은?

① 180 ② 190 ③ 200 ④ 210 ⑤ 220

해결 전략

두 수열 $\{a_n\}$, $\{b_n\}$과 상수 c에 대하여

$\sum_{k=1}^{n}(a_k+b_k)=\sum_{k=1}^{n}a_k$ ❶ $\square$ $\sum_{k=1}^{n}b_k$

$\sum_{k=1}^{n}c=$ ❷ $\square$

답| ❶ $+$ ❷ cn

03 $\sum_{k=1}^{10}(2k+a)=200$일 때, 상수 a의 값은?

① 8 ② 9 ③ 10 ④ 11 ⑤ 12

해결 전략

$\frac{1}{k+1}$, $\frac{1}{k}$의 ❶ [ ]에 1, 2, 3, 4, 5를 각각 대입하여 기호 $\sum$를 사용하지 않은 합의 꼴로 나타낸다.

답| ❶ k

04 $\sum_{k=1}^{5}\frac{1}{k+1}-\sum_{k=1}^{5}\frac{1}{k}$의 값은?

① $-\frac{1}{6}$　② $-\frac{1}{3}$　③ $-\frac{1}{2}$　④ $-\frac{2}{3}$　⑤ $-\frac{5}{6}$

해결 전략

$\frac{6}{k(k+1)}$

$=\frac{6}{k+1-k}\left(\frac{1}{❶\ [\ \ ]}-\frac{1}{k+1}\right)$

$=❷\ [\ \ ]\left(\frac{1}{k}-\frac{1}{k+1}\right)$

답| ❶ k　❷ 6

05 $\sum_{k=1}^{5}\frac{6}{k(k+1)}$의 값은?

① 2　② 3　③ 4　④ 5　⑤ 6

해결 전략

$\sqrt{k+1}-\sqrt{k}$의 ❶ [ ]에 1, 2, 3, …, 99를 차례로 대입하여 기호 $\sum$를 사용하지 않은 합의 꼴로 나타낸다.

답| ❶ k

06 $\sum_{k=1}^{99}(\sqrt{k+1}-\sqrt{k})$의 값은?

① 6　② 7　③ 8　④ 9　⑤ 10

해결 전략

$a_1=10$, $a_{n+1}=a_n-1$이면 수열 $\{a_n\}$은 첫째항이 ❶ ☐ 이고 공차가 ❷ ☐ 인 등차수열이다.

답| ❶ 10 ❷ -1

07 수열 $\{a_n\}$이 모든 자연수 n에 대하여

$$a_1=10,\ a_{n+1}=a_n-1$$

을 만족시킬 때, a_{10}의 값은?

① 1 ② 2 ③ 3
④ 4 ⑤ 5

해결 전략

$a_{n+1}=\frac{2}{a_n}$에 $n=1, 2, 3, 4$를 차례로 대입하면 $n=$ ❶ ☐ 일 때, a_5의 값을 구할 수 있다.

답| ❶ 4

08 수열 $\{a_n\}$이 모든 자연수 n에 대하여

$$a_1=1,\ a_{n+1}=\frac{2}{a_n}$$

를 만족시킬 때, a_5의 값은?

① 1 ② 2 ③ 3
④ 4 ⑤ 5

해결 전략

$a_{n+1}+a_n=n+1$에 $n=1, 2, 3$을 차례로 대입하면 $n=$ ❶ ☐ 일 때, a_4의 값을 구할 수 있다.

답| ❶ 3

09 수열 $\{a_n\}$이 모든 자연수 n에 대하여

$$a_1=1,\ a_{n+1}+a_n=n+1$$

을 만족시킨다. 설희는 a_4의 값을 바르게 적은 친구와 팀을 이루어 수행과제를 하려고 할 때, 다음 중 설희와 같은 팀이 되는 학생을 고르시오.

해결 전략

$a_{n+2}=a_{n+1}+a_n$에 $n=1, 2$를 차례로 대입하면

(1) $n=1$일 때, ❶ [ ] 의 값을 구할 수 있다.

(2) $n=$ ❷ [ ] 일 때, a_4의 값을 구할 수 있다.

답| ❶ a_3 ❷ 2

10 수열 $\{a_n\}$이 모든 자연수 n에 대하여

$$a_{n+2}=a_{n+1}+a_n$$

을 만족시킨다. 다음과 같이 a_1, a_2, a_3, a_4의 값을 짝 지을 때, $\alpha\beta$의 값을 구하시오.

해결 전략

$a_{n+1}=\begin{cases} a_n+3 & (n\text{이 홀수}) \\ 2a_n-1 & (n\text{이 짝수}) \end{cases}$에

$n=1, 2, 3$을 차례로 대입하면

$n=$ ❶ [ ] 일 때, a_4의 값을 구할 수 있다.

답| ❶ 3

11 수열 $\{a_n\}$이 모든 자연수 n에 대하여

$$a_1=1,\ a_{n+1}=\begin{cases} a_n+3 & (n\text{이 홀수}) \\ 2a_n-1 & (n\text{이 짝수}) \end{cases}$$

을 만족시킬 때, a_4의 값은?

① 7 ② 8 ③ 9
④ 10 ⑤ 11

해결 전략

$a_{n+1}=\begin{cases} a_n+3 & (n\text{이 홀수}) \\ 2a_n & (n\text{이 짝수}) \end{cases}$에

$n=1, 2, 3, 4$를 차례로 대입하면

$n=$ ❶ [ ] 일 때, a_5의 값을 구할 수 있다.

답| ❶ 4

12 수열 $\{a_n\}$이 모든 자연수 n에 대하여

$$a_1=3,\ a_{n+1}=\begin{cases} a_n+3 & (n\text{이 홀수}) \\ 2a_n & (n\text{이 짝수}) \end{cases}$$

을 만족시킬 때, a_5의 값을 구하시오.

memo

8일차

누구나 100점 테스트 1회

1 $2^5 \times 2^{-3}$의 값은?

① 2 ② 4 ③ 6
④ 8 ⑤ 10

2 $\log_2 2^3$의 값은?

① 1 ② 2 ③ 3
④ 4 ⑤ 5

3 $\log_2 3 + \log_2 \frac{4}{3}$의 값은?

① 1 ② 2 ③ 4
④ 8 ⑤ 16

4 다음 상용로그표를 이용하여 $\log 3.02$의 값을 구하면?

수	…	2	3	4	…
⋮	⋮	⋮	⋮	⋮	⋮
3.0	…	.4800	.4814	.4829	…
3.1	…	.4942	.4955	.4969	…
3.2	…	.5079	.5092	.5105	…
3.3	…	.5211	.5224	.5237	…

① 0.4800 ② 0.4955 ③ 1.4955
④ 1.5105 ⑤ 2.5105

5 다음 대화를 읽고, □ 안에 알맞은 수를 구하면?

① 11 ② 13 ③ 15
④ 17 ⑤ 19

6 정의역이 $\{x \mid 1 \le x \le 16\}$인 함수 $f(x)=\log_2 x$의 최댓값을 구하시오.

7 다음은 두 학생이 방 탈출 게임에서 마지막 단계를 앞두고 이야기하는 모습이다. 마지막 단계를 통과하려면 어느 문을 열고 나가야 하는가?

① 1　② 2　③ 3　④ 4　⑤ 5

8 $\sin\frac{3}{2}\pi$의 값은?

① -1　② $-\frac{1}{2}$　③ 0　④ $\frac{1}{2}$　⑤ 1

9 $\sin^2\theta=\frac{1}{2}$일 때, $\cos^2\theta$의 값은?

① 0　② $\frac{1}{4}$　③ $\frac{1}{3}$　④ $\frac{1}{2}$　⑤ 1

10 다음은 함수 $f(x)=\sin x+3$에 대하여 두 학생이 설명한 것이다. 이때 $a+b$의 값을 구하시오.

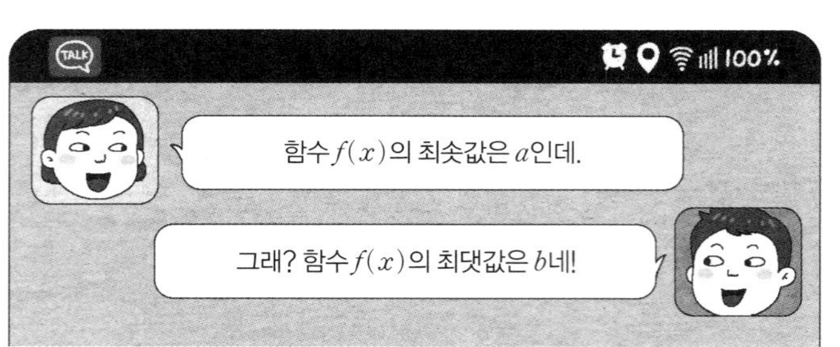

누구나 100점 테스트 2회

1 다음은 두 학생이 함수 $f(x)=2\sin x$에 대하여 발표하는 모습이다. 이때 ab의 값은?

① 0　　② $\frac{1}{2}$　　③ $\frac{2}{3}$
④ 1　　⑤ 2

2 $0\le x\le \pi$일 때, 방정식 $2\cos x-\sqrt{3}=0$의 해는?

① $x=0$　　② $x=\frac{\pi}{6}$　　③ $x=\frac{\pi}{3}$
④ $x=\frac{\pi}{2}$　　⑤ $x=\frac{3}{4}\pi$

3 다음은 삼각형 ABC에서 얻어진 사인법칙이다. 이 정리를 이용하여 반지름의 길이가 15인 원에 내접하는 삼각형 ABC에서 $\sin B=\frac{7}{10}$일 때, ∠B의 대변의 길이 b의 값을 구하시오.

> △ABC의 외접원의 반지름의 길이를 R라 할 때, $\frac{b}{\sin B}=2R$이다.

4 등차수열 $\{a_n\}$에 대하여 $a_2=2$, $a_3=4$일 때, 공차 d의 값은?

① -2　　② -1　　③ 0
④ 1　　⑤ 2

5 첫째항이 1이고 공차가 2인 등차수열 $\{a_n\}$에 대하여 a_3의 값은?

① 1　　② 2　　③ 3
④ 4　　⑤ 5

6 공비가 2인 등비수열 $\{a_n\}$에 대하여 $a_2=3$일 때, a_3의 값은?

① 2 ② 4 ③ 6
④ 8 ⑤ 10

7 공비가 3인 등비수열 $\{a_n\}$에 대하여 $a_2=9$일 때, a_1의 값을 구하시오.

8 다음 가로세로 숫자 퀴즈에서 $a+b$의 값을 구하시오.

EVENT

가로세로 숫자 퀴즈

	① 2	
	a	
② 3	6	b

① 2, a, 6이 이 순서대로 등차수열을 이룬다.
② 3, 6, b가 이 순서대로 등비수열을 이룬다.

9 수열 $\{a_n\}$에 대하여 $\sum_{k=1}^{10} a_k=4$일 때, $\sum_{k=1}^{10} 2a_k$의 값은?

① 7 ② 8 ③ 9
④ 10 ⑤ 11

10 수열 $\{a_n\}$이 모든 자연수 n에 대하여

$$a_1=1,\ a_{n+1}=a_n+5$$

를 만족시킬 때, a_3의 값을 구하시오.

9일차

수능 기초 예상 문제 1회

1 다음 중 $(\sqrt[3]{5})^3$의 값을 옳게 적은 학생은?

① 민수 ② 현정 ③ 민주
④ 영철 ⑤ 인영

2 $\log_4 \sqrt{64}$의 값은?

① 1 ② $\frac{3}{2}$ ③ 2
④ $\frac{5}{2}$ ⑤ 3

3 $1 \le n \le 20$인 자연수 n에 대하여 $(\sqrt[5]{3})^n$이 자연수가 되도록 하는 n의 개수는?

① 1 ② 2 ③ 3
④ 4 ⑤ 5

4 정의역이 $\{x \mid 1 \le x \le 3\}$인 함수 $f(x)=5^{x-1}+2$의 최댓값은?

① 21 ② 23 ③ 25
④ 27 ⑤ 29

5 부등식 $2^{x-2} \leq 4$를 만족시키는 모든 자연수 x의 값의 합은?

① 10 ② 12 ③ 14
④ 16 ⑤ 18

6 함수 $y=\log_2 x$의 그래프를 x축의 방향으로 2만큼, y축의 방향으로 1만큼 평행이동한 그래프가 점 $(6, k)$를 지날 때, k의 값은?

① 2 ② 3 ③ 4
④ 5 ⑤ 6

7 희연이는 함수 $y=\log_3(x+2)$의 그래프의 점근선과 함수 $y=2^{x+5}-1$의 그래프가 만나는 점의 좌표가 적혀 있는 동아리에 가입하려고 한다. 이때 희연이가 가입하려는 동아리는?

① 과학반 (−3, 5)
② 음악반 (−3, 7)
③ 미술반 (−2, 5)
④ 사진반 (−2, 7)
⑤ 체육반 (2, 4)

8 다음은 부채꼴 모양의 부채를 이용하여 부채춤을 추고 있는 모습이다. 이때 부채의 호의 길이는?

① π ② 2π ③ 3π
④ 4π ⑤ 5π

9 $\sin\theta=\frac{1}{3}$일 때, $\cos\left(\frac{\pi}{2}+\theta\right)$의 값은?

① -1 ② $-\frac{2\sqrt{2}}{3}$ ③ $-\frac{1}{3}$
④ $\frac{1}{3}$ ⑤ $\frac{2\sqrt{2}}{3}$

10 함수 $f(x)=2\sin x+a$의 최솟값이 -1이고 최댓값이 b일 때, $a+b$의 값은? (단, a는 상수)

① 1 ② 2 ③ 3
④ 4 ⑤ 5

11 방정식 $\cos\left(x+\frac{\pi}{6}\right)=\frac{1}{2}$의 해는? $\left(단,\ 0\le x\le\frac{\pi}{2}\right)$

① $x=0$　② $x=\frac{\pi}{6}$　③ $x=\frac{\pi}{4}$

④ $x=\frac{\pi}{3}$　⑤ $x=\frac{\pi}{2}$

12 선분 BC의 길이가 8이고, $\angle BAC=\frac{\pi}{6}$인 삼각형 ABC의 외접원의 반지름의 길이를 구하시오.

13 다음 그림과 같이 $\overline{AB}=6$, $\overline{BC}=5$, $\angle B=\frac{\pi}{3}$인 삼각형 모양의 공원에서 두 지점 A, C를 잇는 경계선을 그리려고 한다. 이때 경계선인 $\overline{AC}$의 길이는?

① $\sqrt{30}$　② $\sqrt{31}$　③ $4\sqrt{2}$

④ $\sqrt{33}$　⑤ $\sqrt{34}$

14 첫째항이 9이고 공차가 -2인 등차수열 $\{a_n\}$에 대하여 a_3의 값은?

① 4 ② 5 ③ 6 ④ 7 ⑤ 8

15 두 수열 $\{a_n\}$, $\{b_n\}$에 대하여

$$\sum_{k=1}^{10} a_k = 18,\ \sum_{k=1}^{10} (2a_k - b_k) = 20$$

일 때, $\sum_{k=1}^{10} b_k$의 값은?

① 16 ② 18 ③ 20 ④ 22 ⑤ 24

16 수열 $\{a_n\}$의 첫째항부터 제n항까지의 합을 S_n이라 할 때, $S_n=2^{n+2}-4$이다. 민수는 a_3의 값만큼 놀이판의 말을 이동하려고 할 때, □ 안에 알맞은 수는?

① 10　② 13　③ 16
④ 19　⑤ 22

17 수열 $\{a_n\}$이 모든 자연수 n에 대하여

$$a_1=4,\ a_{n+1}=2a_n+1$$

을 만족시킬 때, a_3의 값을 구하시오.

10일차

수능 기초 예상 문제 2회

1 $4^{\frac{3}{2}}\times 2^{-1}$의 값은?

① 1 ② $\sqrt{2}$ ③ 2
④ 3 ⑤ 4

2 다음 그림과 같이 경현이와 미진이가 들고 있는 카드에 적혀 있는 수의 합은?

① 1 ② $\frac{3}{2}$ ③ 2
④ $\frac{5}{2}$ ⑤ 3

3 $\log_5(5-x)$가 정의되도록 하는 모든 자연수 x의 개수는?

① 1 ② 2 ③ 3
④ 4 ⑤ 5

4 방정식 $\left(\frac{1}{3}\right)^{-x}=27$을 만족시키는 실수 x의 값은?

① -3 ② $-\frac{1}{3}$ ③ $\frac{1}{3}$
④ 3 ⑤ 9

5 정의역이 $\{x|0\leq x\leq 4\}$ 인 함수 $f(x)=\log_3(x+5)-2$의 최댓값은?

① -2　② -1　③ 0　④ 1　⑤ 2

6 다음을 읽고, □ 안에 알맞은 수를 구하면?

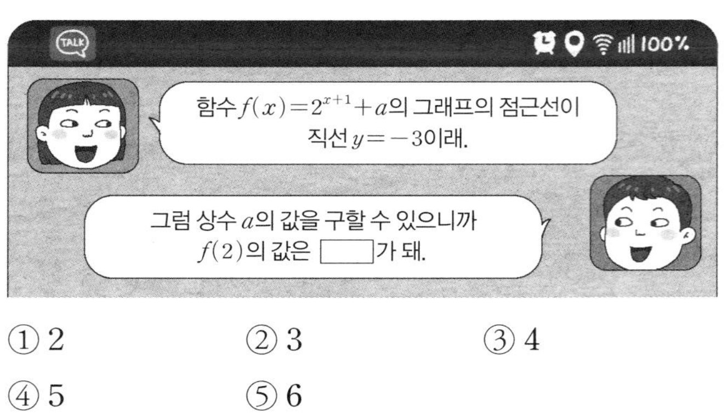

① 2　② 3　③ 4　④ 5　⑤ 6

7 부등식 $\log_2(x+2)\geq\log_2(3x-10)$을 만족시키는 정수 x의 개수는?

① 2　② 3　③ 4　④ 5　⑤ 6

8 정의역이 $\{x|0\leq x\leq 4\}$인 함수 $f(x)=\left(\frac{1}{3}\right)^{x-a}$의 최솟값이 3일 때, 상수 a의 값은?

① 1　　② 2　　③ 3
④ 4　　⑤ 5

9 오른쪽 그림과 같은 계산기에서 □ 안에 $\frac{3}{4}$을 입력했을 때, 나타나는 값은?

① -1　　② $-\frac{\sqrt{2}}{2}$
③ 0　　④ $\frac{\sqrt{2}}{2}$
⑤ 1

10 함수 $y=a\cos x+b$의 그래프가 다음 그림과 같을 때, 상수 a, b에 대하여 ab의 값은? (단, $a>0$)

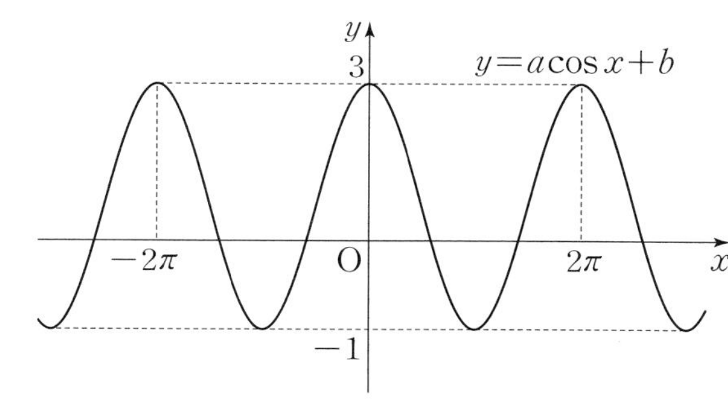

① 2　　② 3　　③ 4
④ 5　　⑤ 6

11 함수 $y=k\sin\left(x+\frac{\pi}{2}\right)+3$의 그래프가 점 $\left(\frac{\pi}{3},\ 5\right)$를 지날 때, 상수 k의 값은?

① 2　　② 3　　③ 4　　④ 5　　⑤ 6

12 $\overline{AB}=2$, $\overline{AC}=5$인 삼각형 ABC의 넓이가 $\sqrt{10}$일 때, $5\sin^2 A$의 값은?

① 1　　② 2　　③ 3　　④ 4　　⑤ 5

13 첫째항이 a이고 공차가 d인 등차수열 $\{a_n\}$에 대하여 $a_2=5$, $a_5=11$일 때, ad의 값은?

① 2　　② 3　　③ 4　　④ 6　　⑤ 8

14 다음은 수학 동아리에서 등비수열 $\{a_n\}$과 관련된 놀이를 하는 모습이다. 이때 a_5의 값은?

① -16　② -8　③ -4　④ -2　⑤ -1

15 $\sum_{k=1}^{10}(k+1)^2-\sum_{k=1}^{10}(k^2+2)$의 값은?

① 90　② 95　③ 100　④ 105　⑤ 110

16 등차수열 $\{a_n\}$이 다음 두 학생이 말한 조건을 모두 만족시킬 때, 첫째항부터 제10항까지의 합 S_{10}의 값은?

a_1의 값은 1입니다.

a_{10}의 값은 19입니다.

① 90　② 95　③ 100
④ 105　⑤ 110

17 수열 $\{a_n\}$이 모든 자연수 n에 대하여

$$a_1=1,\ a_{n+1}=na_n+n^2$$

을 만족시킬 때, a_3의 값을 구하시오.

거북목은 이제 안녕~!
목 스트레칭

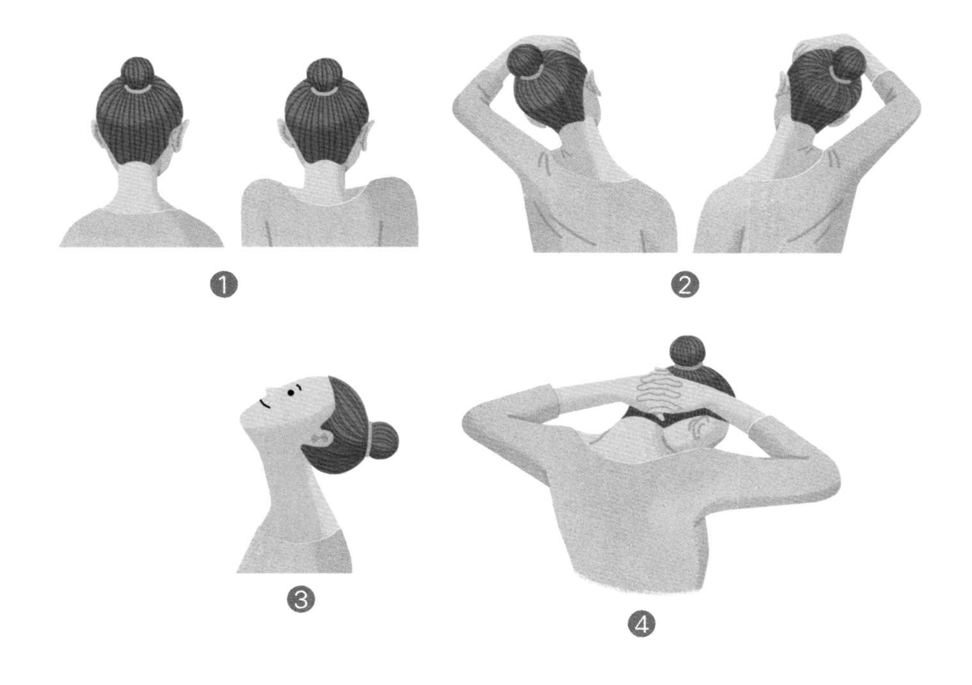

스마트폰 이용 시간이 갈수록 길어지면서, 거북목으로 고생하는 사람이 늘어나고 있습니다. 거북목이 심해지면 관절염은 물론 호흡기 계통의 질병도 생길 수 있다고 해요. 주기적인 스트레칭으로 목 건강을 지켜 주세요.

❶ 어깨에 힘을 빼고 위로 올렸다, 아래로 떨어뜨리기를 3회 정도 반복해 주세요.

❷ 척추를 바르게 펴고, 고개를 왼쪽으로 젖혀 줍니다. 10초 정도 유지한 다음, 오른쪽도 똑같이 반복해 주세요.

❸ 고개를 천천히 뒤로 젖혀 줍니다. 10초 동안 유지합니다.

❹ 두 손으로 깍지를 끼고, 목을 앞으로 굽힌 후 목덜미를 지그시 눌러 주세요. 목이 아프고 뻐근할 때마다 위 과정을 반복하시면 됩니다.

10일 격파

수능 Final 기초 course

수학 영역

수능 기초 10일 격파 수학Ⅰ

정답과 풀이

천재교육

10일 격파

정답과 풀이

01 일차 본문 6~15쪽

핵심 체크 본문 8~11쪽

01-1 ②	01-2 ③	02-1 ④	02-2 ②
03-1 ①	03-2 ②	04-1 1.5105	
04-2 1.0791			

01-1 답| ②

$$\sqrt[3]{5}\times\sqrt[3]{25}=\sqrt[3]{5\times25}=\sqrt[3]{5^3}=5$$

선배의 한마디

거듭제곱근의 성질

$a>0$, $b>0$이고 m, n이 2 이상의 정수일 때

① $\sqrt[n]{a}\sqrt[n]{b}=\sqrt[n]{ab}$

② $\dfrac{\sqrt[n]{a}}{\sqrt[n]{b}}=\sqrt[n]{\dfrac{a}{b}}$

③ $(\sqrt[n]{a})^m=\sqrt[n]{a^m}$

④ $\sqrt[m]{\sqrt[n]{a}}=\sqrt[mn]{a}$

01-2 답| ③

$$\frac{6}{\sqrt[3]{8}}=\frac{6}{\sqrt[3]{2^3}}=\frac{6}{2}=3$$

02-1 답| ④

$$8^{\frac{4}{3}}\times2^{-2}=(2^3)^{\frac{4}{3}}\times2^{-2}=2^4\times2^{-2}$$
$$=2^{4+(-2)}=2^2=4$$

선배의 한마디

지수법칙

$a>0$, $b>0$이고 x, y가 실수일 때

① $a^xa^y=a^{x+y}$

② $a^x\div a^y=a^{x-y}$

③ $(a^x)^y=a^{xy}$

④ $(ab)^x=a^xb^x$

02-2 답| ②

$$6\times3^{-1}=6\times\frac{1}{3}=2$$

쌍둥이 문제

$27^{-\frac{1}{3}}\div3^2$의 값은?

① $\dfrac{1}{27}$ ② $\dfrac{1}{9}$ ③ $\dfrac{1}{3}$

④ 9 ⑤ 27

{ 풀이 }

$$27^{-\frac{1}{3}}\div3^2=(3^3)^{-\frac{1}{3}}\div3^2=3^{-1}\div3^2$$
$$=3^{-1-2}=3^{-3}=\frac{1}{27}$$

{답} ①

선배의 한마디

0 또는 음의 정수인 지수

$a\neq0$이고 n이 양의 정수일 때

① $a^0=1$

② $a^{-n}=\dfrac{1}{a^n}$

03-1 답| ①

$$B-A=\log_4 8-\log_4 2=\log_4\frac{8}{2}$$
$$=\log_4 4=1$$

선배의 한마디

로그의 성질

$a>0$, $a\neq1$, $M>0$, $N>0$일 때

① $\log_a 1=0$, $\log_a a=1$

② $\log_a MN=\log_a M+\log_a N$

③ $\log_a \dfrac{M}{N}=\log_a M-\log_a N$

④ $\log_a M^k=k\log_a M$ (k는 실수)

03-2 답| ②

$$\log_3\sqrt{27}=\log_3 3^{\frac{3}{2}}=\frac{3}{2}\log_3 3=\frac{3}{2}$$

04-1 답| 1.5105

상용로그표에서 $\log 3.24=0.5105$이므로

$$\begin{aligned}\log 32.4&=\log(3.24\times10)\\&=\log 3.24+\log 10\\&=0.5105+1\\&=1.5105\end{aligned}$$

Lecture $\log N$의 값 구하는 순서

① $N=a\times10^n$ (n은 정수, $1\le a<10$) 꼴로 나타낸다.

② 로그의 성질을 이용하여 $\log N=n+\log a$ 꼴로 나타낸다.

③ 상용로그표에서 $\log a$의 값을 찾아 ②에 대입하여 $\log N$의 값을 구한다.

04-2 답|1.0791

$$\begin{aligned}\log 12&=\log(2^2\times3)\\&=2\log 2+\log 3\\&=2\times0.3010+0.4771\\&=1.0791\end{aligned}$$

기초력 집중드릴 본문 12~15쪽

01 ③	02 ②	03 영철	04 ⑤
05 ②	06 ③	07 ②	08 ①
09 ③	10 2	11 ②	12 ①

01 답| ③

$$(4^{\frac{1}{3}})^3=4^{\frac{1}{3}\times3}=4^1=4$$

02 답| ②

$$\begin{aligned}\sqrt[3]{9}\times3^{\frac{1}{3}}&=\sqrt[3]{3^2}\times3^{\frac{1}{3}}\\&=3^{\frac{2}{3}}\times3^{\frac{1}{3}}\\&=3^{\frac{2}{3}+\frac{1}{3}}\\&=3\end{aligned}$$

다른 풀이

$$\begin{aligned}\sqrt[3]{9}\times3^{\frac{1}{3}}&=\sqrt[3]{9}\times\sqrt[3]{3}=\sqrt[3]{9\times3}\\&=\sqrt[3]{27}=\sqrt[3]{3^3}=3\end{aligned}$$

03 답| 영철

$$\begin{aligned}27^{\frac{4}{3}}\times3^{-3}&=(3^3)^{\frac{4}{3}}\times3^{-3}\\&=3^4\times3^{-3}\\&=3^{4+(-3)}\\&=3^1\\&=3\end{aligned}$$

따라서 바르게 계산한 학생은 영철이다.

04 답| ⑤

$$\begin{aligned}(5^3\times5)^{\frac{1}{4}}&=(5^{3+1})^{\frac{1}{4}}\\&=(5^4)^{\frac{1}{4}}\\&=5^1\\&=5\end{aligned}$$

05 답| ②

$$\begin{aligned}\sqrt{2}\times4\div\sqrt[3]{16}&=2^{\frac{1}{2}}\times2^2\div2^{\frac{4}{3}}\\&=2^{\frac{1}{2}+2-\frac{4}{3}}=2^{\frac{7}{6}}\end{aligned}$$

$\therefore k=\dfrac{7}{6}$

06 답| ③

$(\sqrt[3]{5})^n=5^{\frac{n}{3}}$이므로 $5^{\frac{n}{3}}$이 자연수가 되려면 $\frac{n}{3}$은 0 또는 자연수이어야 한다.

즉 n은 0 또는 3의 배수이어야 하므로

$n=0, 3, 6, 9, \cdots$

이때 $1\le n\le 10$이므로 n의 값은 3, 6, 9로 그 개수는 3이다.

07 답| ②

로그의 정의에 의하여

$a=2^3=8$

선배의 한마디

로그의 정의

$a>0$, $a\ne1$일 때, 양수 N에 대하여 등식 $a^x=N$을 만족시키는 실수 x를 기호로 $\log_a N$과 같이 나타낸다.

이때 N을 $\log_a N$의 진수라 한다. 즉

$a^x=N \Leftrightarrow x=\log_a N$

08 답| ①

$$\begin{aligned}\log_6 2+\log_6 3&=\log_6(2\times3)\\&=\log_6 6=1\end{aligned}$$

09 답| ③

$$\begin{aligned}\log_3(9\times27)&=\log_3(3^2\times3^3)\\&=\log_3 3^{2+3}\\&=\log_3 3^5\\&=5\log_3 3\\&=5\end{aligned}$$

10 답| 2

$\frac{1}{\log_4 6}=\log_6 4$, $\frac{1}{\log_3 6}=\log_6 3$이므로

$$\begin{aligned}\frac{1}{\log_4 6}+\frac{2}{\log_3 6}&=\log_6 4+2\log_6 3\\&=2\log_6 2+2\log_6 3\\&=2(\log_6 2+\log_6 3)\\&=2\log_6 6\\&=2\end{aligned}$$

다른 풀이

$\frac{1}{\log_4 6}=\log_6 4$, $\frac{1}{\log_3 6}=\log_6 3$이므로

$$\begin{aligned}\frac{1}{\log_4 6}+\frac{2}{\log_3 6}&=\log_6 4+2\log_6 3\\&=\log_6 4+\log_6 9\\&=\log_6(4\times9)\\&=\log_6 36\\&=\log_6 6^2\\&=2\end{aligned}$$

Lecture 로그의 밑의 변환 공식

$a>0$, $a\ne1$, $b>0$일 때

(1) $\log_a b=\frac{\log_c b}{\log_c a}$ $(c>0, c\ne1)$

(2) $\log_a b=\frac{1}{\log_b a}$ $(b\ne1)$

11 답| ②

$$\begin{aligned}2\log 11&=\log 11^2=\log 121\\&=\log(1.21\times10^2)\\&=\log 1.21+\log 10^2\\&=\log 1.21+2\\&=a+2\end{aligned}$$

12 답| ①

$\log\sqrt{6.14}=\log 6.14^{\frac{1}{2}}=\frac{1}{2}\log 6.14$

이때 상용로그표에서 $\log 6.14=0.7882$이므로

$$\log\sqrt{6.14}=\frac{1}{2}\log 6.14$$
$$=\frac{1}{2}\times 0.7882$$
$$=0.3941$$

선배의 한마디

상용로그표

상용로그의 값은 상용로그표를 이용하여 구할 수 있다.
즉 다음 표에서
$\log 2.75=0.4393$

수	0	1	⋯	5	6
1.0	.0000	.0043	⋯	.0212	.0253
1.1	.0414	.0453	⋯	.0607	.0645
⋮	⋮	⋮	⋮	⋮	⋮
2.7	.4314	.4330	⋯	.4393	.4409
2.8	.4472	.4487	⋯	.4548	.4564

02 일차

본문 16~25쪽

핵심 체크

본문 18~21쪽

01-1 24	**01**-2 ③	**02**-1 5	**02**-2 ⑤
03-1 ②	**03**-2 ②	**04**-1 15	**04**-2 ④

01-1 **답|** 24

함수 $f(x)=3^{x+p}+q$의 그래프의 점근선이 직선 $y=q$이므로 $q=-3$

$\therefore f(x)=3^{x+p}-3$

이때 $f(0)=0$이므로

$f(0)=3^p-3=0 \qquad \therefore p=1$

따라서 $f(x)=3^{x+1}-3$이므로

$f(2)=3^3-3=24$

선배의 한마디

지수함수의 그래프의 점근선

지수함수 $y=a^{x-m}+n$ $(a>0,\ a\neq 1)$의 그래프의 점근선의 방정식은 $y=n$

따라서 지수함수 $y=a^{x-m}+n$의 그래프의 점근선은 직선 $y=n$이다.

01-2 **답|** ③

함수 $f(x)=7^{x+3}-2$의 그래프의 점근선이 직선 $y=-2$이므로 $k=-2$

$\therefore f(k)=f(-2)=7^1-2=5$

쌍둥이 문제

함수 $y=\left(\frac{1}{2}\right)^{x-1}+5$의 그래프의 점근선이 직선 $y=k$일 때, 상수 k의 값을 구하시오.

{풀이}

함수 $y=\left(\frac{1}{2}\right)^{x-1}+5$의 그래프의 점근선이 직선 $y=5$이므로 $k=5$

{답} 5

02-1 답| 5

함수 $y=5^x+2$의 그래프의 점근선의 방정식은 $y=2$

함수 $y=\log_5(x-3)$의 그래프의 점근선의 방정식은 $x-3=0$에서 $x=3$

따라서 두 그래프의 점근선이 만나는 점의 좌표는 $(3, 2)$이므로 $a=3, b=2$

$\therefore a+b=3+2=5$

> **선배의 한마디**
>
> **로그함수의 그래프의 점근선**
>
> 로그함수 $y=\log_a(x-m)+n\ (a>0, a\neq1)$의 그래프의 점근선의 방정식은
>
> $x-m=0$에서 $x=m$
>
> 따라서 지수함수 $y=\log_a(x-m)+n$의 그래프의 점근선은 직선 $x=m$이다.

02-2 답| ⑤

$y=a+\log_2(x+1)$에 $x=3, y=7$을 대입하면

$7=a+\log_2 4, 7=a+2 \qquad \therefore a=5$

03-1 답| ②

함수 $f(x)=\log_3(x-1)-2$에서 밑 3은 1보다 크므로 함수 $f(x)$는 증가함수이다.

따라서 최댓값은 $x=4$일 때

$f(4)=\log_3 3-2=1-2=-1$

03-2 답| ②

함수 $f(x)=\left(\frac{1}{7}\right)^x$에서 밑 $\frac{1}{7}$은 1보다 작은 양수이므로 함수 $f(x)$는 감소함수이다.

따라서 최댓값은 $x=1$일 때

$f(1)=\left(\frac{1}{7}\right)^1=\frac{1}{7}$

> **쌍둥이 문제**
>
> 정의역이 $\{x|3\leq x\leq 7\}$인 함수
> $f(x)=\log_{\frac{1}{2}}(x+1)$의 최솟값을 구하시오.
>
> {풀이}
>
> 함수 $f(x)=\log_{\frac{1}{2}}(x+1)$에서 밑 $\frac{1}{2}$은 1보다 작은 양수이므로 함수 $f(x)$는 감소함수이다.
>
> 따라서 최솟값은 $x=7$일 때
>
> $f(7)=\log_{\frac{1}{2}} 8=\log_{2^{-1}} 2^3=-3$
>
> {답} -3

> **선배의 한마디**
>
> **지수함수의 최대·최소**
>
> 정의역이 $\{x|m\leq x\leq n\}$인 지수함수 $y=a^x$은
>
> ① $a>1$이면
> $x=m$일 때 최솟값 a^m
> $x=n$일 때 최댓값 a^n
>
> ② $0<a<1$이면
> $x=m$일 때 최댓값 a^m
> $x=n$일 때 최솟값 a^n

04-1 답| 15

$2^{x-2}\leq 8$에서 $2^{x-2}\leq 2^3$

이때 밑 2는 1보다 크므로 $x-2\leq 3$

$\therefore x\leq 5$

따라서 자연수 x는 1, 2, 3, 4, 5이므로 그 합은

$1+2+3+4+5=15$

04-2 답| ④

$\left(\frac{1}{4}\right)^{-x}=16$에서 $(4^{-1})^{-x}=4^2$

$4^x=4^2 \qquad \therefore x=2$

선배의 한마디

지수방정식의 풀이(밑을 같게 할 수 있는 경우)

주어진 방정식을 $a^{f(x)}=a^{g(x)}(a>0,\ a\neq1)$ 꼴로 변형한 후 방정식 $f(x)=g(x)$를 푼다.

기초력 집중드릴

본문 22~25쪽

01 ③	02 ③	03 ④	04 ①
05 8	06 ⑤	07 ②	08 ②
09 3	10 ③	11 4	12 ③

01 답| ③

$f(x)=5^{x-1}+2$에 $x=1$을 대입하면

$f(1)=5^0+2=1+2=3$

02 답| ③

함수 $y=2^{x-1}+3$의 그래프의 점근선은 직선 $y=3$이므로 $a=3$

03 답| ④

곡선 $y=\left(\frac{1}{3}\right)^x$이 직선 $x=-2$와 만나는 점의 x좌표는 -2이므로 $a=-2$

즉 교점의 좌표가 $(-2,\ b)$이므로 $y=\left(\frac{1}{3}\right)^x$에 $x=-2,\ y=b$를 대입하면

$b=\left(\frac{1}{3}\right)^{-2}=(3^{-1})^{-2}=3^2=9$

$\therefore a+b=-2+9=7$

04 답| ①

함수 $f(x)=2^{x-3}$에서 밑 2는 1보다 크므로 함수 $f(x)$는 증가함수이다.

따라서 최댓값은 $x=5$일 때

$f(5)=2^2=4$

05 답| 8

함수 $f(x)=5+\left(\frac{1}{3}\right)^x$에서 밑 $\frac{1}{3}$은 1보다 작은 양수이므로 함수 $f(x)$는 감소함수이다.

즉 최댓값은 $x=-1$일 때

$f(-1)=5+\left(\frac{1}{3}\right)^{-1}=5+3=8$

따라서 화면에 나타나는 값은 8이다.

06 답| ⑤

함수 $f(x)=\log_5(x+1)-2$에서 밑 5는 1보다 크므로 함수 $f(x)$는 증가함수이다.

따라서 함수 $f(x)$의

최댓값 M은 $x=4$일 때

$M=f(4)=\log_5 5-2=1-2=-1$

최솟값 m은 $x=0$일 때

$m=f(0)=\log_5 1-2=0-2=-2$

$\therefore Mm=-1\cdot(-2)=2$

선배의 한마디

로그함수의 최대 · 최소

정의역이 $\{x\,|\,m\leq x\leq n\}$인 로그함수 $y=\log_a x$는

① $a>1$이면

$x=m$일 때 최솟값 $\log_a m$

$x=n$일 때 최댓값 $\log_a n$

② $0<a<1$이면

$x=m$일 때 최댓값 $\log_a m$

$x=n$일 때 최솟값 $\log_a n$

07 답| ②

함수 $f(x)=\left(\frac{1}{2}\right)^{x+a}$에서 밑 $\frac{1}{2}$은 1보다 작은 양수이므로 함수 $f(x)$는 감소함수이다.

즉 최솟값은 $x=4$일 때

$f(4)=\left(\frac{1}{2}\right)^{4+a}=\frac{1}{8}$이므로 $\left(\frac{1}{2}\right)^{4+a}=\left(\frac{1}{2}\right)^{3}$

$4+a=3 \qquad \therefore a=-1$

08 답| ②

함수 $f(x)=\log_{\frac{1}{2}}(x+a)$에서 밑 $\frac{1}{2}$은 1보다 작은 양수이므로 함수 $f(x)$는 감소함수이다.

즉 최댓값은 $x=2$일 때

$f(2)=\log_{\frac{1}{2}}(2+a)=-2$이므로

$\log_{\frac{1}{2}}(2+a)=\log_{\frac{1}{2}}\left(\frac{1}{2}\right)^{-2}$, $2+a=\left(\frac{1}{2}\right)^{-2}$

$2+a=4 \qquad \therefore a=2$

09 답| 3

$y=\left(\frac{1}{9}\right)^{x}$에 $y=9$를 대입하면

$9=\left(\frac{1}{9}\right)^{x}$에서 $\left(\frac{1}{9}\right)^{-1}=\left(\frac{1}{9}\right)^{x}$

$\therefore x=-1$, 즉 $\mathrm{A}(-1, 9)$

$y=3^{x}$에 $y=9$를 대입하면

$9=3^{x}$에서 $3^{2}=3^{x} \qquad \therefore x=2$, 즉 $\mathrm{B}(2, 9)$

$\therefore \overline{\mathrm{AB}}=|2-(-1)|=3$

선배의 한마디

① x좌표가 같은 두 점 사이의 거리
두 점 $\mathrm{A}(k, a)$, $\mathrm{B}(k, b)$ 사이의 거리는
$\overline{\mathrm{AB}}=|b-a|$

② y좌표가 같은 두 점 사이의 거리
두 점 $\mathrm{A}(a, k)$, $\mathrm{B}(b, k)$ 사이의 거리는
$\overline{\mathrm{AB}}=|b-a|$

10 답| ③

진수의 조건에서

$5x>0 \qquad \therefore x>0 \qquad \cdots\cdots$ ㉠

$\log 5x\le 1$에서 $\log 5x\le\log 10$

이때 밑 10은 1보다 크므로

$5x\le 10 \qquad \therefore x\le 2 \qquad \cdots\cdots$ ㉡

㉠, ㉡의 공통 범위를 구하면

$0<x\le 2$

따라서 자연수 x는 1, 2이므로 그 합은

$1+2=3$

선배의 한마디

로그부등식의 풀이(밑을 같게 할 수 있는 경우)

주어진 부등식을

$\log_a f(x)<\log_a g(x)$ $(a>0, a\ne 1)$

꼴로 변형한 후

① $a>1$이면 $0<f(x)<g(x)$

② $0<a<1$이면 $f(x)>g(x)>0$

11 답| 4

$5^{x-4}\le 5^{5-x}$에서 밑 5는 1보다 크므로

$x-4\le 5-x$, $2x\le 9$

$\therefore x\le\frac{9}{2}$

따라서 자연수 x는 1, 2, 3, 4이므로 터뜨려야 하는 풍선의 개수는 4이다.

선배의 한마디

지수부등식의 풀이(밑을 같게 할 수 있는 경우)

주어진 부등식을

$a^{f(x)}<a^{g(x)}$ $(a>0, a\ne 1)$

꼴로 변형한 후

① $a>1$이면 $f(x)<g(x)$

② $0<a<1$이면 $f(x)>g(x)$

12 답| ③

$4^x-6\cdot 2^{x+1}+32\le 0$에서

$(2^x)^2-12\cdot 2^x+32\le 0$

$2^x=t\ (t>0)$라 하면 $t^2-12t+32\le 0$

$(t-4)(t-8)\le 0$

$\therefore 4\le t\le 8$

즉 $4\le 2^x\le 8$이므로 $2^2\le 2^x\le 2^3$

이때 밑 2는 1보다 크므로

$2\le x\le 3$

따라서 자연수 x는 2, 3이므로 그 합은

$2+3=5$

Lecture 지수부등식－치환

지수부등식에서 a^x 꼴이 반복되는 경우에는 $a^x=t$로 치환하여 t에 대한 부등식을 푼다.

이때 $t>0$임에 주의한다.

03 일차

본문 26~35쪽

핵심 체크

본문 28~31쪽

01-1 ⑤	01-2 ⑤	02-1 ④	02-2 ③
03-1 ①	03-2 $-\frac{\sqrt{3}}{2}$	04-1 ⑤	04-2 2

01-1 답| ⑤

$\frac{2}{3}\pi$의 동경과 y축에 대하여 대칭인 각의 동경은

$\pi-\frac{2}{3}\pi=\frac{\pi}{3}$

의 동경과 일치한다.

⑤ $\frac{7}{3}\pi=2\pi\times 1+\frac{\pi}{3}$

따라서 구하는 각은 ⑤이다.

01-2 답| ⑤

① $60^\circ=\frac{\pi}{3}$

② $-\frac{5}{3}\pi=2\pi\times(-1)+\frac{\pi}{3}$

③ $\frac{7}{3}\pi=2\pi\times 1+\frac{\pi}{3}$

④ $420^\circ=\frac{7}{3}\pi=2\pi\times 1+\frac{\pi}{3}$

⑤ $-\frac{10}{3}\pi=2\pi\times(-2)+\frac{2}{3}\pi$

따라서 $\frac{\pi}{3}$의 동경과 일치하지 않는 것은 ⑤이다.

선배의 한마디

호도법과 육십분법 사이의 관계

① 1(라디안)$=\frac{180^\circ}{\pi}$

② $1^\circ=\frac{\pi}{180}$(라디안)

02-1 답| ④

부채꼴의 호의 길이를 l이라 하면 부채꼴의 넓이는 $\frac{1}{2}\cdot 12\cdot l=24\pi$, $6l=24\pi$

$\therefore l=4\pi$

따라서 부채꼴의 호의 길이는 4π이다.

쌍둥이 문제

호의 길이와 넓이가 각각 2π, 6π인 부채꼴의 반지름의 길이를 구하시오.

{풀이}

부채꼴의 반지름의 길이를 r라 하면

$\frac{1}{2}\cdot r\cdot 2\pi=6\pi \qquad \therefore r=6$

따라서 부채꼴의 반지름의 길이는 6이다.

{답} 6

선배의 한마디

부채꼴의 호의 길이와 넓이

반지름의 길이가 r, 중심각의 크기가 θ(라디안)인 부채꼴의 호의 길이를 l, 넓이를 S라 하면

① $l=r\theta$

② $S=\frac{1}{2}r^2\theta=\frac{1}{2}rl$

02-2 답| ③

부채꼴 모양의 선반 1개의 바닥의 넓이는

$\frac{1}{2}\cdot 2^2\cdot \frac{\pi}{2}=\pi$

쌍둥이 문제

반지름의 길이가 4이고 중심각의 크기가 $\frac{\pi}{4}$인 부채꼴의 넓이는?

① $\frac{\pi}{2}$ ② $\frac{3}{4}\pi$ ③ π

④ $\frac{3}{2}\pi$ ⑤ 2π

{풀이}

부채꼴의 넓이는 $\frac{1}{2}\cdot 4^2\cdot \frac{\pi}{4}=2\pi$

{답} ⑤

03-1 답| ①

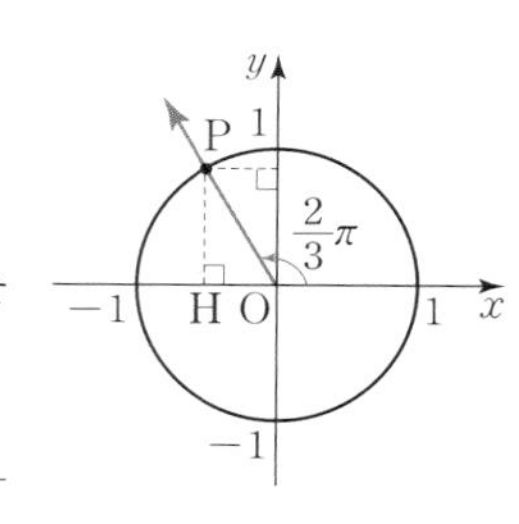

오른쪽 그림과 같이 각 $\frac{2}{3}\pi$를 나타내는 동경과 원점 O를 중심으로 하는 단위원의 교점을 P라 하면 $\overline{OP}=1$, $\angle POH=\frac{\pi}{3}$

이므로 점 P의 좌표는 $\left(-\frac{1}{2}, \frac{\sqrt{3}}{2}\right)$

$\therefore \tan\frac{2}{3}\pi=\frac{\frac{\sqrt{3}}{2}}{-\frac{1}{2}}=-\sqrt{3}$

03-2 답| $-\frac{\sqrt{3}}{2}$

오른쪽 그림에서

$\overline{OP}=\sqrt{(-\sqrt{3})^2+1^2}=2$

$\therefore \cos\theta=\frac{-\sqrt{3}}{2}=-\frac{\sqrt{3}}{2}$

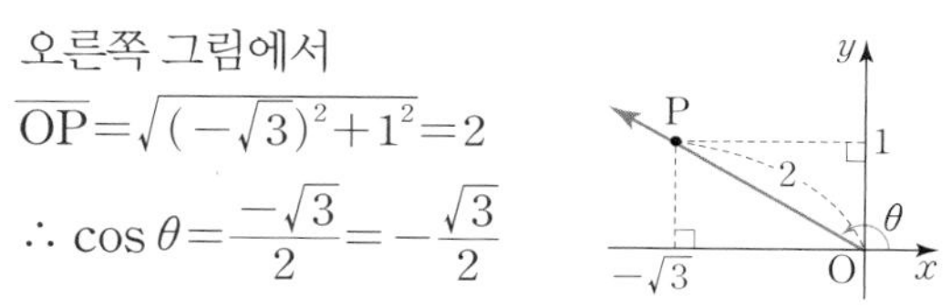

04-1 답| ⑤

$\sin^2\theta=1-\cos^2\theta=1-\left(-\frac{3}{5}\right)^2=\frac{16}{25}$

이때 $\frac{\pi}{2}<\theta<\pi$이므로 $\sin\theta>0$

따라서 $\sin\theta=\frac{4}{5}$이므로

$5\sin\theta=5\cdot\frac{4}{5}=4$

선배의 한마디

삼각함수 사이의 관계

① $\sin^2\theta+\cos^2\theta=1$

② $\tan\theta=\frac{\sin\theta}{\cos\theta}$

04-2 답| 2

$\cos^2\theta=1-\sin^2\theta=1-\frac{13}{15}=\frac{2}{15}$이므로

$15\cos^2\theta=15\cdot\frac{2}{15}=2$

쌍둥이 문제

$\cos\theta=-\frac{2}{3}$일 때, $9\sin^2\theta$의 값을 구하시오.

{풀이}

$\sin^2\theta=1-\cos^2\theta=1-\left(-\frac{2}{3}\right)^2=\frac{5}{9}$이므로

$9\sin^2\theta=9\cdot\frac{5}{9}=5$

{답} 5

기초력 집중드릴 본문 32~35쪽

01 ⑤	02 ③	03 ⑤	04 ⑤
05 ②	06 짚신 모양 토기		07 ①
08 민지	09 ④	10 ①	11 ⑤
12 1			

01 답| ⑤

부채꼴 모양으로 남은 피자의 호의 길이는

$9\cdot\frac{5}{3}\pi=15\pi$

02 답| ③

부채꼴의 반지름의 길이를 r라 하면 부채꼴의 호의 길이는

$r\cdot\frac{2}{5}\pi=2\pi \qquad \therefore r=5$

따라서 부채꼴의 넓이는

$\frac{1}{2}\cdot5^2\cdot\frac{2}{5}\pi=5\pi$

다른 풀이

부채꼴의 반지름의 길이를 r라 하면 부채꼴의 호의 길이는

$r\cdot\frac{2}{5}\pi=2\pi \qquad \therefore r=5$

따라서 부채꼴의 넓이는

$\frac{1}{2}\cdot5\cdot2\pi=5\pi$

03 답| ⑤

부채꼴의 반지름의 길이를 r, 호의 길이를 l이라 하면 $l=r\cdot1=r$

즉 부채꼴의 둘레의 길이는

$2r+l=2r+r=3r$이므로

$3r=15 \qquad \therefore r=5$

따라서 부채꼴의 반지름의 길이는 5이다.

Lecture 부채꼴의 둘레의 길이

오른쪽 그림과 같이 반지름의 길이가 r인 부채꼴의 호의 길이를 l이라 하면 부채꼴의 둘레의 길이는

$2r+l$

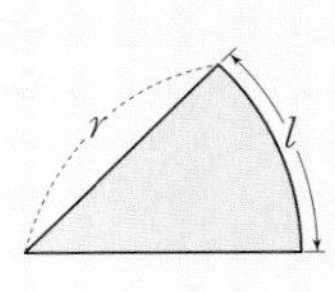

04 답| ⑤

$\overline{OP}=\sqrt{5^2+12^2}=13$이므로

$\sin\theta=\frac{12}{13}$

05 답| ②

$\overline{OP}=\sqrt{(-3)^2+4^2}=5$이므로

$\cos\theta=\frac{-3}{5}=-\frac{3}{5}$

06 **답|** 짚신 모양 토기

오른쪽 그림과 같이 각 $\frac{4}{3}\pi$를 나타내는 동경과 원점 O를 중심으로 하는 단위원의 교점을 P라 하면

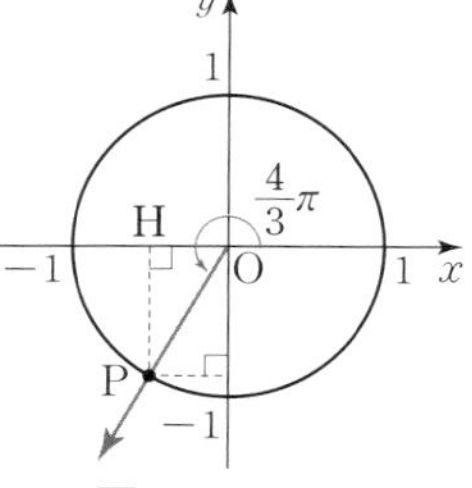

$\overline{OP}=1$, $\angle POH=\frac{\pi}{3}$

이므로 점 P의 좌표는 $\left(-\frac{1}{2}, -\frac{\sqrt{3}}{2}\right)$

$\therefore \cos\frac{4}{3}\pi=-\frac{1}{2}$

따라서 다음 그림에서 두 학생이 조사하게 될 유적은 짚신 모양 토기이다.

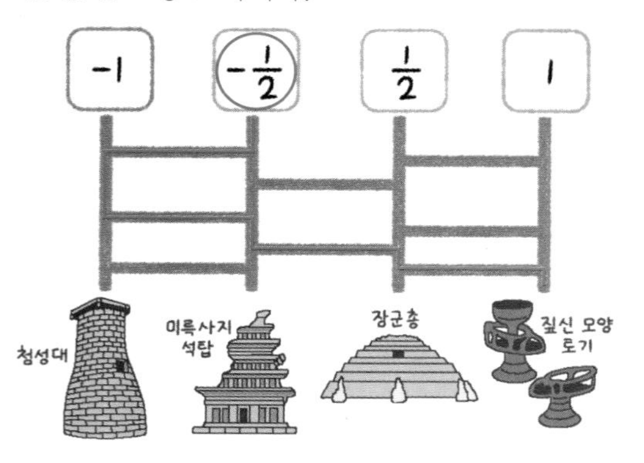

07 **답|** ①

오른쪽 그림과 같이 각 $-\frac{\pi}{3}$를 나타내는 동경과 원점 O를 중심으로 하는 단위원의 교점을 P라 하면 $\overline{OP}=1$, $\angle POH=\frac{\pi}{3}$

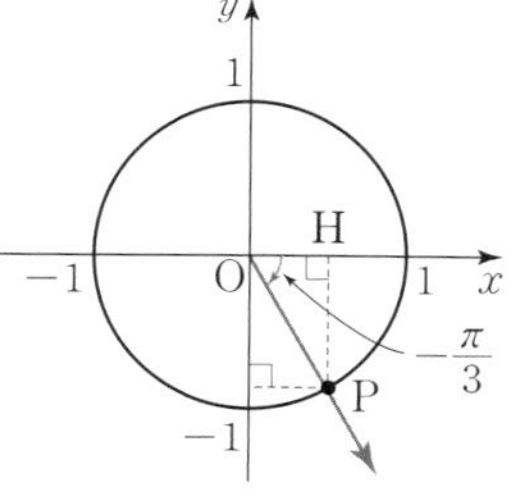

이므로 점 P의 좌표는 $\left(\frac{1}{2}, -\frac{\sqrt{3}}{2}\right)$

따라서 $\cos\theta=\frac{1}{2}$, $\sin\theta=-\frac{\sqrt{3}}{2}$이므로

$\cos\theta+\sqrt{3}\sin\theta=\frac{1}{2}+\sqrt{3}\cdot\left(-\frac{\sqrt{3}}{2}\right)=-1$

선배의 한마디

삼각함수의 정의

각 θ를 나타내는 동경과 반지름의 길이가 r인 원 O의 교점의 좌표를 (x, y)라 하면

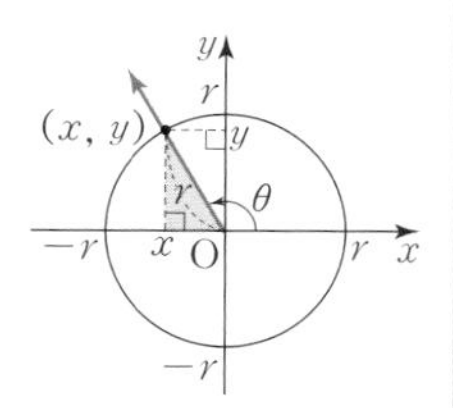

① $\sin\theta=\frac{y}{r}$

② $\cos\theta=\frac{x}{r}$

③ $\tan\theta=\frac{y}{x}$ $(x\neq0)$

08 **답|** 민지

민지: $\frac{3}{4}\pi$는 제2사분면의 각이므로

$\sin\frac{3}{4}\pi>0$

우진: $-\frac{7}{6}\pi=2\pi\times(-1)+\frac{5}{6}\pi$

즉 $-\frac{7}{6}\pi$는 제2사분면의 각이므로

$\cos\left(-\frac{7}{6}\pi\right)<0$

다영: $\frac{5}{3}\pi$는 제4사분면의 각이므로

$\tan\frac{5}{3}\pi<0$

영수: $\frac{5}{4}\pi$는 제3사분면의 각이므로

$\sin\frac{5}{4}\pi<0$

따라서 삼각함수의 값의 부호가 나머지 셋과 다른 하나가 적힌 카드를 들고 있는 학생은 민지이다.

선배의 한마디

삼각함수의 값의 부호

삼각함수의 값의 부호는 각 θ를 나타내는 동경이 위치한 사분면에 따라 다음과 같이 정해진다.

θ	$\sin\theta$	$\cos\theta$	$\tan\theta$
제1사분면	+	+	+
제2사분면	+	−	−
제3사분면	−	−	+
제4사분면	−	+	−

09 답| ④

$\sin\theta<0$이므로 각 θ는 제3사분면 또는 제4사분면의 각이다.

$\cos\theta>0$이므로 각 θ는 제1사분면 또는 제4사분면의 각이다.

따라서 각 θ가 존재하는 사분면은 제4사분면이다.

10 답| ①

$\tan\theta=\frac{\sin\theta}{\cos\theta}=2$이므로

$\sin\theta=2\cos\theta$ …… ㉠

$\sin^2\theta+\cos^2\theta=1$이므로 이 식에 ㉠을 대입하면

$(2\cos\theta)^2+\cos^2\theta=1$

$4\cos^2\theta+\cos^2\theta=1$

$5\cos^2\theta=1$

$\therefore \cos^2\theta=\frac{1}{5}$

이때 $\pi<\theta<\frac{3}{2}\pi$이므로 $\cos\theta<0$

$\therefore \cos\theta=-\frac{\sqrt{5}}{5}$

11 답| ⑤

$\sin^2\theta=1-\cos^2\theta=1-\left(-\frac{1}{3}\right)^2=\frac{8}{9}$

이때 $\pi<\theta<\frac{3}{2}\pi$이므로 $\sin\theta<0$

$\therefore \sin\theta=-\frac{2\sqrt{2}}{3}$

즉 $\tan\theta=\frac{\sin\theta}{\cos\theta}=\frac{-\frac{2\sqrt{2}}{3}}{-\frac{1}{3}}=2\sqrt{2}$이므로

$\tan\theta-3\sin\theta=2\sqrt{2}-3\cdot\left(-\frac{2\sqrt{2}}{3}\right)$

$=4\sqrt{2}$

12 답| 1

$\sin\theta+\cos\theta=\frac{\sqrt{5}}{2}$의 양변을 제곱하면

$\sin^2\theta+\cos^2\theta+2\sin\theta\cos\theta=\frac{5}{4}$

이때 $\sin^2\theta+\cos^2\theta=1$이므로

$1+2\sin\theta\cos\theta=\frac{5}{4}$

$2\sin\theta\cos\theta=\frac{1}{4}$

$\therefore \sin\theta\cos\theta=\frac{1}{8}$

$\therefore 8\sin\theta\cos\theta=8\cdot\frac{1}{8}=1$

따라서 □ 안에 알맞은 수는 1이다.

본문 36~45쪽

핵심 체크

본문 38~41쪽

01-1 ②	01-2 나은	02-1 ④	02-2 ①
03-1 ④	03-2 ②	04-1 ④	04-2 ④

01-1 답| ②

$-1\le\sin\left(x-\frac{\pi}{2}\right)\le1$이므로

$-3\le3\sin\left(x-\frac{\pi}{2}\right)\le3$

$\therefore\ -3+k\le3\sin\left(x-\frac{\pi}{2}\right)+k\le3+k$

즉 최댓값은 $3+k$이므로

$3+k=1\qquad\therefore\ k=-2$

01-2 답| 나은

$f\left(\frac{\pi}{6}\right)=4\sin\frac{\pi}{6}+1=4\cdot\frac{1}{2}+1=3$

따라서 $f\left(\frac{\pi}{6}\right)$의 값을 바르게 들고 있는 학생은 나은이다.

02-1 답| ④

$f\left(\frac{\pi}{6}\right)=1$이므로

$f\left(\frac{\pi}{6}\right)=3\sqrt{3}\tan\frac{\pi}{6}+k=3\sqrt{3}\cdot\frac{\sqrt{3}}{3}+k=1$

$3+k=1\qquad\therefore\ k=-2$

따라서 $f(x)=3\sqrt{3}\tan x-2$이므로

$f\left(\frac{\pi}{3}\right)=3\sqrt{3}\tan\frac{\pi}{3}-2$

$=3\sqrt{3}\cdot\sqrt{3}-2$

$=9-2=7$

02-2 답| ①

$f(\pi)=\tan\frac{\pi}{4}=1$

03-1 답| ④

(주어진 식)$=5\cdot(-\sin\theta)+10\sin\theta$

$=-5\sin\theta+10\sin\theta$

$=5\sin\theta$

이때 각 θ는 제1사분면의 각이고, $\tan\theta=\frac{4}{3}$이므로 각 θ를 나타내는 동경 위의 점을 $P(3k, 4k)$ $(k>0)$라 하면

$\overline{OP}=\sqrt{(3k)^2+(4k)^2}=5k$

$\therefore\ \sin\theta=\frac{4k}{\overline{OP}}=\frac{4k}{5k}=\frac{4}{5}$

따라서 구하는 값은

$5\sin\theta=5\cdot\frac{4}{5}=4$

다른 풀이

(주어진 식)$=5\cdot(-\sin\theta)+10\sin\theta$

$=-5\sin\theta+10\sin\theta$

$=5\sin\theta$

$\tan\theta=\frac{\sin\theta}{\cos\theta}=\frac{4}{3}$이므로

$\cos\theta=\frac{3}{4}\sin\theta\qquad\cdots\cdots$ ㉠

$\sin^2\theta+\cos^2\theta=1$이므로 이 식에 ㉠을 대입하면

$\sin^2\theta+\left(\frac{3}{4}\sin\theta\right)^2=1$

$\frac{25}{16}\sin^2\theta=1$

$\therefore\ \sin^2\theta=\frac{16}{25}$

이때 각 θ는 제1사분면의 각이므로

$\sin\theta>0\qquad\therefore\ \sin\theta=\frac{4}{5}$

따라서 구하는 값은

$5\sin\theta=5\cdot\frac{4}{5}=4$

선배의 한마디

① $\frac{\pi}{2}+\theta$에 대한 삼각함수

$\sin\left(\frac{\pi}{2}+\theta\right)=\cos\theta$

$\cos\left(\frac{\pi}{2}+\theta\right)=-\sin\theta$

$\tan\left(\frac{\pi}{2}+\theta\right)=-\frac{1}{\tan\theta}$

② $\frac{\pi}{2}-\theta$에 대한 삼각함수

$\sin\left(\frac{\pi}{2}-\theta\right)=\cos\theta$

$\cos\left(\frac{\pi}{2}-\theta\right)=\sin\theta$

$\tan\left(\frac{\pi}{2}-\theta\right)=\frac{1}{\tan\theta}$

03-2 답 | ②

$3\cos(\pi-\theta)=3\cdot(-\cos\theta)=-3\cos\theta$

$=-3\cdot\frac{1}{3}=-1$

쌍둥이 문제

$\sin\theta=-\frac{3}{4}$일 때, $4\sin(\pi+\theta)$의 값은?

① -3 ② -1 ③ 1
④ 3 ⑤ 4

{풀이}

$4\sin(\pi+\theta)=4\cdot(-\sin\theta)=-4\sin\theta$

$=-4\cdot\left(-\frac{3}{4}\right)=3$

{답} ④

선배의 한마디

① $\pi+\theta$에 대한 삼각함수

$\sin(\pi+\theta)=-\sin\theta$

$\cos(\pi+\theta)=-\cos\theta$

$\tan(\pi+\theta)=\tan\theta$

② $\pi-\theta$에 대한 삼각함수

$\sin(\pi-\theta)=\sin\theta$

$\cos(\pi-\theta)=-\cos\theta$

$\tan(\pi-\theta)=-\tan\theta$

04-1 답 | ④

$2\sin x-1=0$에서 $\sin x=\frac{1}{2}$

$0\le x\le\pi$일 때, 함수 $y=\sin x$의 그래프와 직선 $y=\frac{1}{2}$은 다음 그림과 같으므로 구하는 해는

$x=\frac{\pi}{6}$ 또는 $x=\frac{5}{6}\pi$

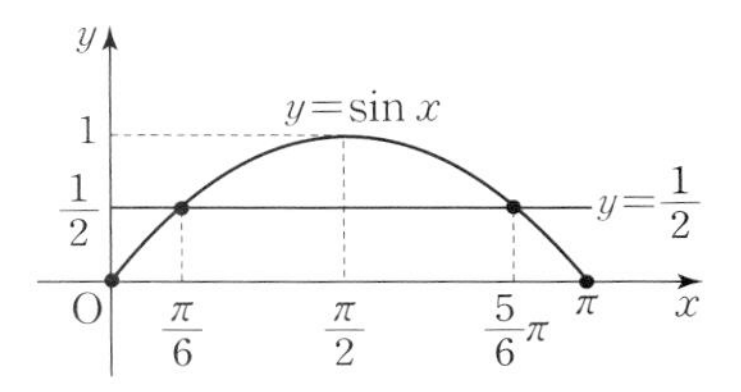

따라서 모든 해의 합은

$\frac{\pi}{6}+\frac{5}{6}\pi=\pi$

선배의 한마디

방정식 $\sin x=k$의 해는 함수 $y=\sin x$의 그래프와 직선 $y=k$의 교점의 x좌표와 같다.

04-2 답 | ④

$\sin\left(x+\frac{\pi}{2}\right)=\cos x$이므로

$\sin\left(x+\frac{\pi}{2}\right)=\frac{1}{2}$에서 $\cos x=\frac{1}{2}$

이때 $0\le x\le\frac{\pi}{2}$이므로 $x=\frac{\pi}{3}$

기초력 집중드릴 본문 42~45쪽

01 ④	02 -2	03 ④	04 ④
05 ②	06 ④	07 ⑤	08 $\frac{1}{2}$
09 ⑤	10 깃발 ③	11 ④	12 ②

01 답| ④

$-1 \le \sin x \le 1$이므로 $-2 \le 2\sin x \le 2$

$\therefore 1 \le 2\sin x + 3 \le 5$

따라서 최솟값은 1이다.

선배의 한마디

삼각함수의 최대 · 최소

사인함수, 코사인함수, 탄젠트함수의 최댓값과 최솟값은 다음과 같다.

삼각함수	최댓값	최솟값
$y=a\sin(bx+c)+d$	$\|a\|+d$	$-\|a\|+d$
$y=a\cos(bx+c)+d$	$\|a\|+d$	$-\|a\|+d$
$y=a\tan(bx+c)+d$	없다.	없다.

02 답| -2

$-1 \le \cos x \le 1$이므로 $-5 \le 5\cos x \le 5$

$\therefore -6 \le 5\cos x - 1 \le 4$

즉 최댓값은 4, 최솟값은 -6이므로

$M=4$, $m=-6$

$\therefore M+m=4+(-6)=-2$

03 답| ④

$-1 \le \sin x \le 1$이므로 $-3 \le 3\sin x \le 3$

$\therefore -3+k \le 3\sin x + k \le 3+k$

즉 최댓값은 $3+k$이므로

$3+k=7 \qquad \therefore k=4$

04 답| ④

$-1 \le \cos x \le 1$이므로 $-a \le a\cos x \le a$

$\therefore -a+3 \le a\cos x + 3 \le a+3$

즉 최솟값은 $-a+3$이므로

$-a+3=-1 \qquad \therefore a=4$

따라서 최댓값은

$a+3=4+3=7$

05 답| ②

$-1 \le \sin x \le 1$이므로 $-a \le a\sin x \le a$

$\therefore -a+b \le a\sin x + b \le a+b$

즉 최댓값은 $a+b$, 최솟값은 $-a+b$이다.

이때 주어진 그래프에서 함수 $y=a\sin x+b$의 최댓값은 3, 최솟값은 -1이므로

$a+b=3$, $-a+b=-1$

위의 두 식을 연립하여 풀면

$a=2$, $b=1$

$\therefore a^2+b^2=2^2+1^2=5$

Lecture **사인함수의 그래프**

함수 $y=a\sin(bx+c)+d$의 그래프에서

x축의 방향으로 평행이동 결정 (c)

$y=a\sin(bx+c)+d$ – d: y축의 방향으로 평행이동 결정

b: 주기 결정

a: 최댓값, 최솟값 결정

06 답| ④

$y=k\sin\left(x+\frac{\pi}{2}\right)+1$에 $x=\frac{\pi}{3}$, $y=2$를 대입하면

$2=k\sin\frac{5}{6}\pi+1$, $2=\frac{k}{2}+1$

$\frac{k}{2}=1 \qquad \therefore k=2$

07 답| ⑤

$y=a\cos 2x+b$에 $x=0$, $y=4$를 대입하면

$4=a\cos 0+b$

$\therefore a+b=4 \qquad \cdots\cdots ㉠$

$y=a\cos 2x+b$에 $x=\frac{\pi}{2}$, $y=-2$를 대입하면

$-2=a\cos\pi+b$

$\therefore -a+b=-2$ ...... ㉡

㉠, ㉡을 연립하여 풀면

$a=3$, $b=1$

$\therefore ab=3\cdot 1=3$

08 답| $\frac{1}{2}$

$$\sin\left(\frac{\pi}{2}+\theta\right)-\cos(\pi-\theta)=\cos\theta-(-\cos\theta)$$
$$=2\cos\theta$$
$$=2\cdot\frac{1}{4}$$
$$=\frac{1}{2}$$

따라서 ㉠에 나와야 하는 수는 $\frac{1}{2}$이다.

09 답| ⑤

$$3\cos\left(\frac{\pi}{2}-\theta\right)+2\sin(\pi-\theta)=3\sin\theta+2\sin\theta$$
$$=5\sin\theta$$

$\tan\theta=\frac{\sin\theta}{\cos\theta}=\frac{3}{4}$이므로

$\cos\theta=\frac{4}{3}\sin\theta$ ...... ㉠

$\sin^2\theta+\cos^2\theta=1$이므로 이 식에 ㉠을 대입하면

$\sin^2\theta+\left(\frac{4}{3}\sin\theta\right)^2=1$

$\frac{25}{9}\sin^2\theta=1$

$\therefore \sin^2\theta=\frac{9}{25}$

이때 각 θ는 제1사분면의 각이므로

$\sin\theta>0$ $\therefore \sin\theta=\frac{3}{5}$

따라서 구하는 값은

$5\sin\theta=5\cdot\frac{3}{5}=3$

10 답| 깃발 ③

$\cos x\neq 0$일 때 $\sin x=\cos x$의 양변을 $\cos x$로 나누면

$\frac{\sin x}{\cos x}=1$ $\therefore \tan x=1$

$0\le x<\pi$일 때, 함수 $y=\tan x$의 그래프와 직선 $y=1$은 다음 그림과 같으므로 구하는 해는

$x=\frac{\pi}{4}$

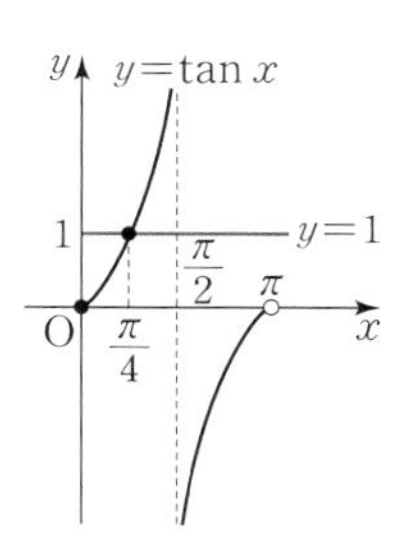

따라서 방정식 $\sin x=\cos x$의 해가 적혀 있는 깃발은 깃발 ③이다.

11 답| ④

$x-\frac{\pi}{6}=t$라 하면

$0\le x\le\frac{\pi}{2}$에서 $-\frac{\pi}{6}\le x-\frac{\pi}{6}\le\frac{\pi}{2}-\frac{\pi}{6}$

$\therefore -\frac{\pi}{6}\le t\le\frac{\pi}{3}$

$\sin\left(x-\frac{\pi}{6}\right)=\frac{1}{2}$에서 $\sin t=\frac{1}{2}$ $\left(-\frac{\pi}{6}\le t\le\frac{\pi}{3}\right)$

$\therefore t=\frac{\pi}{6}$

따라서 $x-\frac{\pi}{6}=\frac{\pi}{6}$이므로 $x=\frac{\pi}{3}$

12 답| ②

$2\sin x \geq 1$에서 $\sin x \geq \frac{1}{2}$

부등식 $\sin x \geq \frac{1}{2}$의 해는 함수 $y=\sin x$의 그래프가 직선 $y=\frac{1}{2}$과 만나거나 위쪽에 있는 부분의 x의 값의 범위이므로 다음 그림에서 구하는 해는

$\frac{\pi}{6} \leq x \leq \frac{5}{6}\pi$

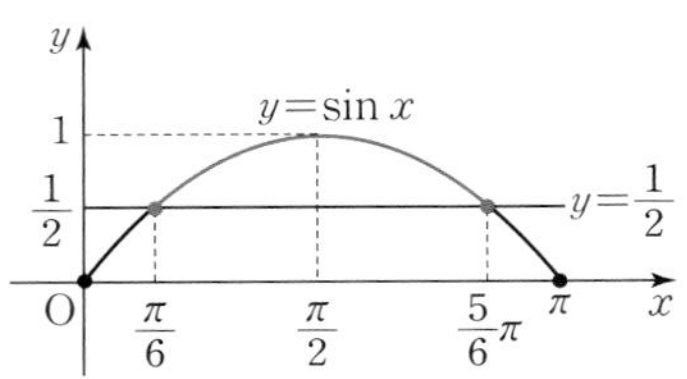

따라서 $\alpha=\frac{\pi}{6}$, $\beta=\frac{5}{6}\pi$이므로

$\beta-\alpha=\frac{5}{6}\pi-\frac{\pi}{6}=\frac{2}{3}\pi$

05 일차

본문 46~55쪽

핵심 체크

본문 48~51쪽

01-1 ③	01-2 ④	02-1 ③	02-2 105
03-1 ②	03-2 ⑤	04-1 ②	04-2 5

01-1 답| ③

외접원의 반지름의 길이를 R라 하면

사인법칙에 의하여

$\frac{\overline{BC}}{\sin(\angle BAC)}=2R$이므로

$\frac{5}{\sin\frac{\pi}{6}}=2R$, $\frac{5}{\frac{1}{2}}=2R$

$2R=10$

$\therefore R=5$

따라서 $\triangle ABC$의 외접원의 반지름의 길이는 5이다.

Lecture 사인법칙을 이용하는 경우

삼각형에서 사인법칙은 다음과 같은 경우에 적용한다.

(1) 한 변의 길이와 두 각의 크기가 주어질 때, 나머지 한 변의 길이를 구하는 경우

(2) 두 변의 길이와 그 끼인각이 아닌 다른 한 각의 크기가 주어질 때, 나머지 각의 크기를 구하는 경우

01-2 답| ④

사인법칙에 의하여

$\frac{\overline{AC}}{\sin B}=2R$이므로

$\frac{6\sqrt{3}}{\sin B}=2\cdot 6=12$

$12\sin B=6\sqrt{3}$

$\therefore \sin B=\frac{\sqrt{3}}{2}$

쌍둥이 문제

$\triangle$ABC에서 $A=45^\circ$, $B=75^\circ$이고 외접원의 반지름의 길이가 4일 때, c의 값은?

① $\sqrt{3}$ ② $2\sqrt{3}$ ③ $3\sqrt{3}$
④ $4\sqrt{3}$ ⑤ $5\sqrt{3}$

{ 풀이 }

$C=180^\circ-(45^\circ+75^\circ)=60^\circ$

사인법칙에 의하여 $\dfrac{c}{\sin 60^\circ}=2\cdot4=8$

$\therefore c=8\sin 60^\circ=8\cdot\dfrac{\sqrt{3}}{2}=4\sqrt{3}$

{답} ④

선배의 한마디

사인법칙

삼각형 ABC의 외접원의 반지름의 길이를 R라 하면

$\dfrac{a}{\sin A}=\dfrac{b}{\sin B}=\dfrac{c}{\sin C}$
$=2R$

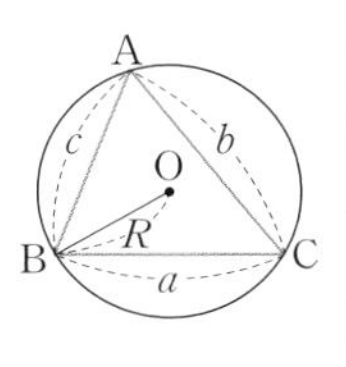

02-1 답| ③

코사인법칙에 의하여

$\overline{\text{BC}}^2=(3\sqrt{2})^2+5^2-2\cdot3\sqrt{2}\cdot5\cdot\cos\dfrac{\pi}{4}$

$=18+25-30\sqrt{2}\cdot\dfrac{\sqrt{2}}{2}$

$=43-30$

$=13$

$\therefore \overline{\text{BC}}=\sqrt{13}$ ($\because \overline{\text{BC}}>0$)

Lecture 코사인법칙을 이용하는 경우

삼각형에서 코사인법칙은 다음과 같은 경우에 적용한다.

(1) 두 변의 길이와 그 끼인각의 크기가 주어질 때, 나머지 한 변의 길이를 구하는 경우

(2) 세 변의 길이가 주어질 때, 세 각에 대한 코사인함수의 값을 구하는 경우

02-2 답| 105

코사인법칙에 의하여

$\overline{\text{BC}}^2=10^2+5^2-2\cdot10\cdot5\cdot\cos A$

$=100+25-100\cdot\dfrac{1}{5}$

$=125-20$

$=105$

선배의 한마디

코사인법칙

삼각형 ABC에서

① $a^2=b^2+c^2-2bc\cos A$

② $b^2=c^2+a^2-2ca\cos B$

③ $c^2=a^2+b^2-2ab\ \cos C$

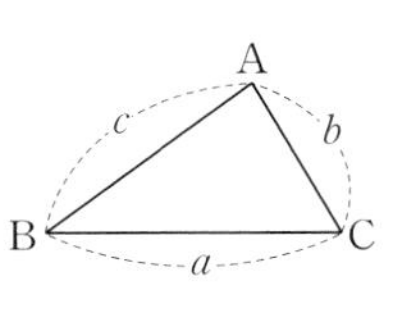

03-1 답| ②

코사인법칙에 의하여

$\cos A=\dfrac{b^2+c^2-a^2}{2bc}=\dfrac{3^2+4^2-(\sqrt{7})^2}{2\cdot3\cdot4}=\dfrac{3}{4}$

선배의 한마디

코사인법칙의 활용

삼각형 ABC에서

① $\cos A=\dfrac{b^2+c^2-a^2}{2bc}$

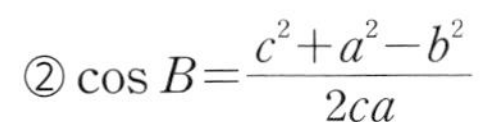

② $\cos B=\dfrac{c^2+a^2-b^2}{2ca}$

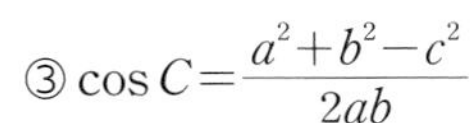

③ $\cos C=\dfrac{a^2+b^2-c^2}{2ab}$

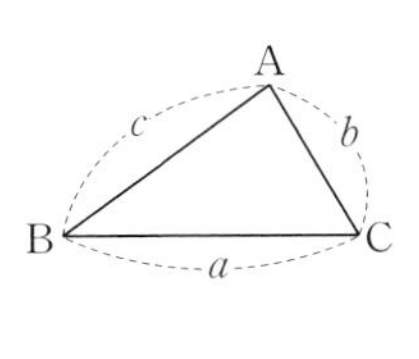

03-2 답| ⑤

코사인법칙에 의하여

$\cos B=\dfrac{c^2+a^2-b^2}{2ca}=\dfrac{5^2+4^2-(\sqrt{6})^2}{2\cdot5\cdot4}=\dfrac{7}{8}$

쌍둥이 문제

$\triangle ABC$에서 $a=4$, $b=\sqrt{21}$, $c=5$일 때, B의 크기를 구하시오.

{ 풀이 }

코사인법칙에 의하여

$\cos B=\frac{c^2+a^2-b^2}{2ca}=\frac{5^2+4^2-(\sqrt{21})^2}{2\cdot5\cdot4}=\frac{1}{2}$

이때 $0^\circ<B<180^\circ$이므로 $B=60^\circ$

{답} 60°

04-1 답| ②

$\triangle ABC=\frac{1}{2}\cdot\overline{AB}\cdot\overline{AC}\cdot\sin\theta$

$=\frac{1}{2}\cdot6\cdot10\cdot\sin\theta$

$=30\sin\theta$

즉 $30\sin\theta=15$이므로 $\sin\theta=\frac{1}{2}$

선배의 한마디

삼각형의 넓이

삼각형 ABC의 넓이를 S라 하면

$S=\frac{1}{2}bc\sin A$

$=\frac{1}{2}ca\sin B$

$=\frac{1}{2}ab\sin C$

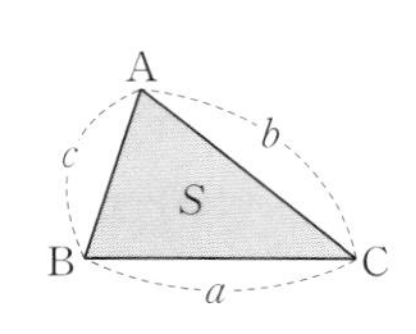

04-2 답| 5

$\triangle ABC=\frac{1}{2}\cdot\overline{AC}\cdot\overline{AB}\cdot\sin A$

$=\frac{1}{2}\cdot4\cdot5\cdot\sin\frac{\pi}{6}$

$=10\cdot\frac{1}{2}=5$

따라서 조사 구역의 넓이는 5이다.

기초력 집중드릴

본문 52~55쪽

01 60 m	**02** ④	**03** 16	**04** ③
05 12	**06** ①	**07** ③	**08** ②
09 ⑤	**10** ⑤	**11** 10	**12** 48

01 답| 60 m

사인법칙에 의하여

$\frac{\overline{AC}}{\sin B}=2\cdot40=80$

$\therefore \overline{AC}=80\sin B=80\cdot\frac{3}{4}=60\ (\text{m})$

따라서 두 지점 A, C 사이의 거리는 60 m이다.

02 답| ④

사인법칙에 의하여

$\frac{\overline{BC}}{\sin A}=2\cdot10=20$이므로

$\sin A=\frac{\overline{BC}}{20}=\frac{15}{20}=\frac{3}{4}$

$\therefore 8\sin A=8\cdot\frac{3}{4}=6$

선배의 한마디

사인법칙의 활용

삼각형 ABC의 외접원의 반지름의 길이를 R라 하면

$\sin A=\frac{a}{2R}$

$\sin B=\frac{b}{2R}$

$\sin C=\frac{c}{2R}$

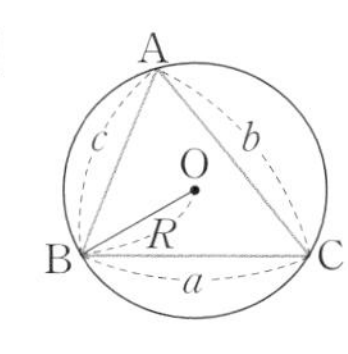

03 답| 16

사인법칙에 의하여

$\frac{\overline{AC}}{\sin B}=2\cdot5=10$

$\therefore \sin B=\frac{\overline{AC}}{10}=\frac{6}{10}=\frac{3}{5}$

이때 $\sin^2 B+\cos^2 B=1$이므로

$\cos^2 B=1-\sin^2 B=1-\left(\frac{3}{5}\right)^2=\frac{16}{25}$

$\therefore 25\cos^2 B=25\cdot\frac{16}{25}=16$

선배의 한마디

삼각함수 사이의 관계

① $\sin^2\theta+\cos^2\theta=1$

② $\tan\theta=\frac{\sin\theta}{\cos\theta}$

04 답| ③

사인법칙에 의하여

$\frac{\overline{AC}}{\sin B}=\frac{10}{\frac{1}{3}}=30=2R$

$\therefore R=15$

05 답| 12

$A+B+C=180^\circ$이므로 $45^\circ+15^\circ+C=180^\circ$

$\therefore C=120^\circ$

사인법칙에 의하여

$\frac{\overline{BC}}{\sin A}=\frac{\overline{AB}}{\sin C}$이므로 $\frac{\overline{BC}}{\sin 45^\circ}=\frac{6\sqrt{6}}{\sin 120^\circ}$

$\therefore \overline{BC}=\frac{\sin 45^\circ}{\sin 120^\circ}\cdot 6\sqrt{6}=\frac{\frac{\sqrt{2}}{2}}{\frac{\sqrt{3}}{2}}\cdot 6\sqrt{6}=12\,(\text{km})$

따라서 □ 안에 알맞은 수는 12이다.

06 답| ①

$a=6$, $b=\sqrt{21}$, $c=5$이므로 코사인법칙에 의하여

$\cos B=\frac{c^2+a^2-b^2}{2ca}=\frac{5^2+6^2-(\sqrt{21})^2}{2\cdot5\cdot6}=\frac{2}{3}$

07 답| ③

$a=6$, $c=5$이므로 코사인법칙에 의하여

$\overline{AC}^2=c^2+a^2-2ca\cos B$

$=5^2+6^2-2\cdot5\cdot6\cdot\frac{1}{3}$

$=41$

$\therefore \overline{AC}=\sqrt{41}$ ($\because \overline{AC}>0$)

08 답| ②

$0^\circ<A<180^\circ$이고 $\tan A=2\sqrt{2}>0$이므로 A는 제 1사분면의 각이다.

$\therefore \cos A>0$

또 $\tan A=\frac{\sin A}{\cos A}=2\sqrt{2}$이므로

$\sin A=2\sqrt{2}\cos A$

이때 $\sin^2 A+\cos^2 A=1$이므로

$(2\sqrt{2}\cos A)^2+\cos^2 A=1$

$9\cos^2 A=1$

$\cos^2 A=\frac{1}{9}$

$\therefore \cos A=\frac{1}{3}$ ($\because \cos A>0$)

$\triangle$ABC에서 $b=4$, $c=3$이므로 코사인법칙에 의하여

$\overline{BC}^2=b^2+c^2-2bc\cos A$

$=4^2+3^2-2\cdot4\cdot3\cdot\frac{1}{3}$

$=17$

$\therefore \overline{BC}=\sqrt{17}$ ($\because \overline{BC}>0$)

따라서 두 사람 B, C 사이의 거리는 $\sqrt{17}$ km이다.

선배의 한마디

코사인법칙

삼각형 ABC에서

① $a^2=b^2+c^2-2bc\cos A$

② $b^2=c^2+a^2-2ca\cos B$

③ $c^2=a^2+b^2-2ab\cos C$

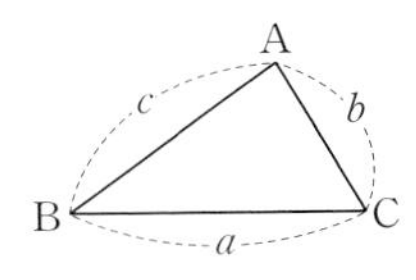

09 답| ⑤

$\triangle ABC=\frac{1}{2}\cdot\sqrt{7}\cdot 2\cdot \sin A=\sqrt{6}$이므로

$\sqrt{7}\sin A=\sqrt{6}\qquad \therefore \sin A=\frac{\sqrt{6}}{\sqrt{7}}=\frac{\sqrt{42}}{7}$

10 답| ⑤

부채꼴의 반지름의 길이를 r라 하면 부채꼴의 호의 길이는 $r\cdot\frac{\pi}{3}=2\pi\qquad \therefore r=6$

즉 $\triangle OAB$에서 $\overline{OA}=\overline{OB}=6$이므로

$\triangle OAB=\frac{1}{2}\cdot 6^2\cdot \sin\frac{\pi}{3}=18\cdot\frac{\sqrt{3}}{2}=9\sqrt{3}$

> **선배의 한마디**
>
> **부채꼴의 호의 길이와 넓이**
>
> 반지름의 길이가 r, 중심각의 크기가 θ(라디안)인 부채꼴의 호의 길이를 l, 넓이를 S라 하면
>
> ① $l=r\theta$
>
> ② $S=\frac{1}{2}r^2\theta=\frac{1}{2}rl$

11 답| 10

$\triangle ABC=\frac{1}{2}\cdot\overline{AB}\cdot\overline{BC}\cdot\sin\theta$

$=\frac{1}{2}\cdot 15\cdot\overline{BC}\cdot\frac{2}{3}$

$=5\overline{BC}$

즉 $5\overline{BC}=50$이므로 $\overline{BC}=10$

12 답| 48

$\triangle ABC=\frac{1}{2}\cdot\overline{AB}\cdot\overline{BC}\cdot\sin\theta=\frac{1}{2}\cdot 8\cdot 8\cdot\frac{3}{4}=24$

이때 마름모 ABCD의 넓이는 $\triangle ABC$의 넓이의 2배이므로 마름모 ABCD의 넓이는

$2\triangle ABC=2\cdot 24=48$

> **Lecture** 평행사변형의 넓이
>
> 평행사변형의 넓이는 합동인 두 개의 삼각형의 넓이의 합이므로 넓이 S는
>
> 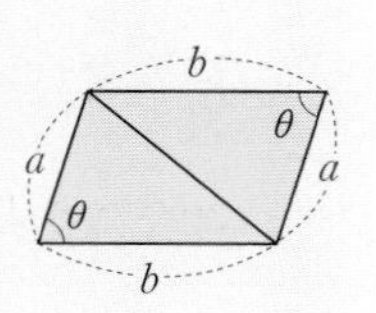
>
>
> $S=\frac{1}{2}ab\sin\theta+\frac{1}{2}ab\sin\theta$
>
> $=ab\sin\theta$

06 일차

본문 56～65쪽

핵심 체크

본문 58～61쪽

01-1 ③	**01**-2 1	**02**-1 ④	**02**-2 ⑤
03-1 ③	**03**-2 ⑤	**04**-1 ③	**04**-2 ④

01-1 답| ③

등차수열 $\{a_n\}$의 공차를 d라 하면

$a_n=1+(n-1)d$

이때 $a_4-a_2=4$이므로

$(1+3d)-(1+d)=4$

$2d=4 \quad \therefore d=2$

따라서 $a_n=1+(n-1)\cdot 2=2n-1$이므로

$a_5=2\cdot 5-1=9$

다른 풀이

$a_4=a_2+2d$이므로 $a_4-a_2=2d$

즉 $2d=4$이므로 $d=2$

따라서 $a_n=1+(n-1)\cdot 2=2n-1$이므로

$a_5=2\cdot 5-1=9$

선배의 한마디

등차수열의 일반항

첫째항이 a이고 공차가 d인 등차수열 $\{a_n\}$의 일반항 a_n은

$a_n=a+(n-1)d \ (n=1, 2, 3, \cdots)$

01-2 답| 1

공차는 $a_3-a_2=2-3=-1$이므로

$a_4=a_3+(-1)=2+(-1)=1$

선배의 한마디

등차수열의 공차

등차수열 $\{a_n\}$의 공차를 d라 하면

$d=a_2-a_1=a_3-a_2=a_4-a_3=\cdots$

쌍둥이 문제

등차수열 $\{a_n\}$에 대하여 $a_5=8$, $a_6=10$일 때, a_4의 값을 구하시오.

{풀이}

공차는 $a_6-a_5=10-8=2$이므로

$a_5=a_4+2$, $8=a_4+2$

$\therefore a_4=6$

{답} 6

02-1 답| ④

$$\frac{a_2}{a_1}=\frac{a_3}{a_2}=\frac{12}{3}=4$$

선배의 한마디

등비수열의 공비

등비수열 $\{a_n\}$의 공비를 r라 하면

$r=\frac{a_2}{a_1}=\frac{a_3}{a_2}=\frac{a_4}{a_3}=\cdots$

02-2 답| ⑤

$a_3=a_2\cdot 3=12\cdot 3=36$

03-1 답| ③

$\sum_{k=1}^{5}(2a_k+b_k)=2\sum_{k=1}^{5}a_k+\sum_{k=1}^{5}b_k=13$이므로

$2\cdot 5+\sum_{k=1}^{5}b_k=13$

$\therefore \sum_{k=1}^{5}b_k=3$

선배의 한마디

$\sum$의 성질

두 수열 $\{a_n\}$, $\{b_n\}$과 상수 c에 대하여

① $\sum_{k=1}^{n}(a_k+b_k)=\sum_{k=1}^{n}a_k+\sum_{k=1}^{n}b_k$

② $\sum_{k=1}^{n}(a_k-b_k)=\sum_{k=1}^{n}a_k-\sum_{k=1}^{n}b_k$

③ $\sum_{k=1}^{n}ca_k=c\sum_{k=1}^{n}a_k$

④ $\sum_{k=1}^{n}c=cn$

03-2 답| ⑤

$\sum_{k=1}^{5}\frac{1}{k}=a+\sum_{k=1}^{4}\frac{1}{k+1}$에서

$1+\frac{1}{2}+\frac{1}{3}+\frac{1}{4}+\frac{1}{5}=a+\left(\frac{1}{2}+\frac{1}{3}+\frac{1}{4}+\frac{1}{5}\right)$

$\therefore a=1$

선배의 한마디

합의 기호 $\sum$

수열 $\{a_n\}$의 첫째항부터 제n항까지의 합을 기호 $\sum$를 사용하여

$$a_1+a_2+a_3+\cdots+a_n=\sum_{k=1}^{n}a_k$$

와 같이 나타낸다. 이때 $\sum_{k=1}^{n}a_k$는 수열의 일반항 a_k의 k에 1, 2, 3, $\cdots$, n을 차례로 대입하여 얻은 항의 합을 뜻한다.

04-1 답| ③

$a_4=S_4-S_3$

$=(4^3+4)-(3^3+3)$

$=68-30$

$=38$

선배의 한마디

수열의 합과 일반항의 관계

수열 $\{a_n\}$의 첫째항부터 제n항까지의 합을 S_n이라 하면

$a_1=S_1$, $a_n=S_n-S_{n-1}$ $(n\geq 2)$

04-2 답| ④

$a_2=S_2-S_1$

$=(2^2+2+1)-(1^2+1+1)$

$=7-3$

$=4$

쌍둥이 문제

수열 $\{a_n\}$의 첫째항부터 제n항까지의 합 S_n이 $S_n=2^n-3$일 때, a_2+a_4의 값을 구하시오.

{풀이}

$a_2=S_2-S_1=(2^2-3)-(2-3)$

$=1-(-1)=2$

$a_4=S_4-S_3=(2^4-3)-(2^3-3)$

$=13-5=8$

$\therefore a_2+a_4=2+8=10$

{답} 10

기초력 집중드릴 본문 62～65쪽

01 ③	02 ①	03 ③	04 2
05 ⑤	06 ④	07 열쇠 1	08 96
09 ③	10 19	11 6	12 ⑤

01 답| ③

$a_n=1+(n-1)\cdot 4=4n-3$이므로

$a_3=4\cdot 3-3=9$

02 답| ①

등차수열 $\{a_n\}$의 공차를 d라 하면

$a_4=a_2+2d$이므로 $11=5+2d$

$6=2d \quad \therefore d=3$

$\therefore a_6=a_4+2d=11+2\cdot 3=17$

다른 풀이

등차수열 $\{a_n\}$의 첫째항을 a, 공차를 d라 하면

$a_n=a+(n-1)d$이므로

$a_2=a+d=5 \quad \cdots\cdots$ ㉠

$a_4=a+3d=11 \quad \cdots\cdots$ ㉡

㉠, ㉡을 연립하여 풀면 $a=2$, $d=3$

따라서 $a_n=2+(n-1)\cdot 3=3n-1$이므로

$a_6=3\cdot 6-1=17$

03 답| ③

등차수열 $\{a_n\}$의 세 항 a_3, a_5, a_7은 이 순서대로 등차수열을 이루므로

$a_5=\dfrac{a_3+a_7}{2}=\dfrac{16}{2}=8$

다른 풀이

등차수열 $\{a_n\}$의 첫째항을 a, 공차를 d라 하면

$a_n=a+(n-1)d$이므로

$a_3+a_7=a+2d+(a+6d)=2a+8d=16$

$\therefore a+4d=8$

$\therefore a_5=a+4d=8$

선배의 한마디

등차중항

세 수 a, b, c가 이 순서대로 등차수열을 이룰 때, b를 a와 c의 등차중항이라 한다.

이때 $b-a=c-b$이므로 $b=\dfrac{a+c}{2}$

04 답| 2

세 수 8, 5, a가 이 순서대로 등차수열을 이루므로

$5=\dfrac{8+a}{2} \quad \therefore a=2$

다른 풀이

공차는 $5-8=-3$이므로

$a=5+(-3)=2$

05 답| ⑤

첫째항을 a라 하면 $a_n=a\cdot 3^{n-1}$

$a_2=a\cdot 3^1=6$이므로 $a=2$

따라서 $a_n=2\cdot 3^{n-1}$이므로

$a_4=2\cdot 3^3=54$

다른 풀이

공비가 3이므로

$a_3=a_2\cdot 3=6\cdot 3=18$

$\therefore a_4=a_3\cdot 3=18\cdot 3=54$

선배의 한마디

등비수열의 일반항

첫째항이 a이고 공비가 $r(r\neq 0)$인 등비수열 $\{a_n\}$의 일반항 a_n은

$a_n=ar^{n-1}\ (n=1, 2, 3, \cdots)$

06 답| ④

등비수열 $\{a_n\}$의 공비를 $r(r>0)$라 하면

$a_n=1\cdot r^{n-1}=r^{n-1}$

$a_3=a_2+6$에서 $r^2=r+6$

$r^2-r-6=0$, $(r+2)(r-3)=0$

$\therefore r=3\ (\because r>0)$

따라서 $a_n=3^{n-1}$이므로

$a_4=3^3=27$

07 답| 열쇠 1

세 수 2, -4, k가 이 순서대로 등비수열을 이루므로

$(-4)^2=2\cdot k \qquad \therefore k=8$

따라서 보물 상자를 열 수 있는 열쇠는 열쇠 1이다.

선배의 한마디

등비중항

0이 아닌 세 수 a, b, c가 이 순서대로 등비수열을 이룰 때, b를 a와 c의 등비중항이라 한다.

이때 $\frac{b}{a}=\frac{c}{b}$이므로 $b^2=ac$

08 답| 96

등비수열 $\{a_n\}$의 첫째항을 a라 하면

$\sum_{k=1}^{5} a_k=\frac{a(2^5-1)}{2-1}=93$이므로

$31a=93 \qquad \therefore a=3$

따라서 $a_n=3\cdot 2^{n-1}$이므로

$a_6=3\cdot 2^5=96$

선배의 한마디

등비수열의 합

첫째항이 a, 공비가 $r(r\neq 0)$인 등비수열의 첫째항부터 제n항까지의 합 S_n은

① $r\neq 1$일 때

$S_n=\frac{a(1-r^n)}{1-r}=\frac{a(r^n-1)}{r-1}$

② $r=1$일 때

$S_n=na$

09 답| ③

$$\sum_{k=1}^{10}(a_k+3b_k)=\sum_{k=1}^{10}a_k+3\sum_{k=1}^{10}b_k$$
$$=10+3\cdot 3$$
$$=19$$

10 답| 19

$$\sum_{k=1}^{10}(a_k+1)^2=\sum_{k=1}^{10}\{(a_k)^2+2a_k+1\}$$
$$=\sum_{k=1}^{10}(a_k)^2+2\sum_{k=1}^{10}a_k+\sum_{k=1}^{10}1$$
$$=\sum_{k=1}^{10}(a_k)^2+2\cdot 3+1\cdot 10$$
$$=\sum_{k=1}^{10}(a_k)^2+16$$

즉 $\sum_{k=1}^{10}(a_k)^2+16=35$이므로

$\sum_{k=1}^{10}(a_k)^2=19$

11 답| 6

$a_n=S_n-S_{n-1}\ (n\geq 2)$이므로

$$a_3=S_3-S_2$$
$$=(3^2+3)-(2^2+2)$$
$$=12-6$$
$$=6$$

따라서 민수는 6점을 맞혀야 한다.

12 답| ⑤

$a_n=\sum_{k=1}^{n}a_k-\sum_{k=1}^{n-1}a_k\ (n\geq 2)$이므로

$$a_5=\sum_{k=1}^{5}a_k-\sum_{k=1}^{4}a_k$$
$$=(2^5+3)-(2^4+3)$$
$$=35-19$$
$$=16$$

07 일차

본문 66~75쪽

핵심 체크

본문 68~71쪽

01-1 도환	01-2 55	02-1 ⑤	02-2 1
03-1 ②	03-2 1	04-1 ②	04-2 3

01-1 답| 도환

$$\sum_{k=1}^{10}(k+2)-\sum_{k=1}^{10}(k-1)=\sum_{k=1}^{10}\{(k+2)-(k-1)\}$$

$$=\sum_{k=1}^{10}3=3\cdot 10=30$$

따라서 $\sum_{k=1}^{10}(k+2)-\sum_{k=1}^{10}(k-1)$의 값을 옳게 적은 학생은 도환이다.

다른 풀이

$$\sum_{k=1}^{10}(k+2)-\sum_{k=1}^{10}(k-1)$$
$$=\sum_{k=1}^{10}k+\sum_{k=1}^{10}2-\sum_{k=1}^{10}k+\sum_{k=1}^{10}1$$
$$=\frac{10\cdot 11}{2}+2\cdot 10-\frac{10\cdot 11}{2}+1\cdot 10$$
$$=55+20-55+10=30$$

01-2 답| 55

$$\sum_{k=1}^{5}k^2=\frac{5(5+1)(2\cdot 5+1)}{6}=55$$

선배의 한마디

자연수의 거듭제곱의 합

① $1+2+3+\cdots+n=\sum_{k=1}^{n}k=\frac{n(n+1)}{2}$

② $1^2+2^2+3^2+\cdots+n^2=\sum_{k=1}^{n}k^2=\frac{n(n+1)(2n+1)}{6}$

③ $1^3+2^3+3^3+\cdots+n^3=\sum_{k=1}^{n}k^3=\left\{\frac{n(n+1)}{2}\right\}^2$

02-1 답| ⑤

$$\sum_{k=1}^{10}\frac{1}{k(k+1)}$$
$$=\sum_{k=1}^{10}\left(\frac{1}{k}-\frac{1}{k+1}\right)$$
$$=\left(1-\frac{1}{2}\right)+\left(\frac{1}{2}-\frac{1}{3}\right)+\left(\frac{1}{3}-\frac{1}{4}\right)+\cdots+\left(\frac{1}{10}-\frac{1}{11}\right)$$
$$=1-\frac{1}{11}=\frac{10}{11}$$

선배의 한마디

분수 꼴인 수열의 합

일반항이 분수 꼴이고 분모가 두 일차식의 곱인 수열의 합은 다음 등식을 이용하여 구한다.

$$\frac{1}{AB}=\frac{1}{B-A}\left(\frac{1}{A}-\frac{1}{B}\right)\ (A\neq B)$$

02-2 답| 1

$$\sum_{k=1}^{3}(\sqrt{k+1}-\sqrt{k})$$
$$=(\sqrt{2}-1)+(\sqrt{3}-\sqrt{2})+(\sqrt{4}-\sqrt{3})$$
$$=\sqrt{4}-1$$
$$=1$$

쌍둥이 문제

$\sum_{k=1}^{n}(\sqrt{k}-\sqrt{k+1})=-4$일 때, n의 값은?

① 20 ② 21 ③ 22
④ 23 ⑤ 24

{ 풀이 }

$$\sum_{k=1}^{n}(\sqrt{k}-\sqrt{k+1})$$
$$=(1-\sqrt{2})+(\sqrt{2}-\sqrt{3})+(\sqrt{3}-\sqrt{4})+\cdots+(\sqrt{n}-\sqrt{n+1})$$
$$=1-\sqrt{n+1}$$

즉 $1-\sqrt{n+1}=-4$이므로 $\sqrt{n+1}=5$

$n+1=25 \quad \therefore n=24$

{답} ⑤

03-1 답| ②

$a_2=\frac{1}{1+1}a_1=\frac{1}{2}a_1=\frac{1}{2}\cdot 6=3$이므로

$a_3=\frac{2}{2+1}a_2=\frac{2}{3}a_2=\frac{2}{3}\cdot 3=2$

> **선배의 한마디**
>
> **수열의 귀납적 정의**
>
> 일반적으로 수열 $\{a_n\}$에서
> (i) 처음 몇 개의 항
> (ii) 차례로 그 다음 항을 정할 수 있는 관계식
> 이 주어질 때, (ii)의 관계식의 n에 1, 2, 3, …을 차례로 대입하면 수열의 모든 항이 정해진다.
> 이와 같이 처음 몇 개의 항과 차례로 그 다음 항을 정할 수 있는 관계식으로 수열을 정의하는 것을 수열의 귀납적 정의라 한다.

03-2 답| 1

$a_{n+1}+a_n=2n$에 $n=1$을 대입하면

$a_2+a_1=2\cdot 1$

$\therefore a_2=2-a_1=2-1=1$

04-1 답| ②

수열 $\{a_n\}$은 첫째항이 1이고 공비가 2인 등비수열이므로 $a_n=1\cdot 2^{n-1}=2^{n-1}$

$\therefore a_5=2^4=16$

> **선배의 한마디**
>
> **등비수열의 귀납적 정의**
>
> 수열 $\{a_n\}$에서 $n=1, 2, 3, \cdots$일 때
> ① 첫째항이 a, 공비가 r인 등비수열
> ⇨ $a_1=a,\ a_{n+1}=ra_n$
> ② 공비가 r인 등비수열
> ⇨ $\frac{a_{n+1}}{a_n}=r$ 또는 $a_{n+1}=ra_n$

04-2 답| 3

수열 $\{a_n\}$은 첫째항이 1이고 공차가 2인 등차수열이므로 $a_n=1+(n-1)\cdot 2=2n-1$

$\therefore a_2=2\cdot 2-1=3$

다른 풀이

$a_{n+1}=a_n+2$에 $n=1$을 대입하면

$a_2=a_1+2=1+2=3$

> **선배의 한마디**
>
> **등차수열의 귀납적 정의**
>
> 수열 $\{a_n\}$에서 $n=1, 2, 3, \cdots$일 때
> ① 첫째항이 a, 공차가 d인 등차수열
> ⇨ $a_1=a,\ a_{n+1}=a_n+d$
> ② 공차가 d인 등차수열
> ⇨ $a_{n+1}-a_n=d$ 또는 $a_{n+1}=a_n+d$

기초력 집중드릴

본문 72~75쪽

01 ③	**02** ⑤	**03** ②	**04** ⑤
05 ④	**06** ④	**07** ①	**08** ①
09 현정	**10** 15	**11** ④	**12** 30

01 답| ③

$f(2k)=\frac{1}{2}\cdot 2k+1=k+1$이므로

$$\sum_{k=1}^{10} f(2k)=\sum_{k=1}^{10}(k+1)$$
$$=\sum_{k=1}^{10}k+\sum_{k=1}^{10}1$$
$$=\frac{10\cdot 11}{2}+1\cdot 10$$
$$=55+10$$
$$=65$$

선배의 한마디

자연수의 거듭제곱의 합

① $1+2+3+\cdots+n=\sum_{k=1}^{n}k$
$=\frac{n(n+1)}{2}$

② $1^2+2^2+3^2+\cdots+n^2=\sum_{k=1}^{n}k^2$
$=\frac{n(n+1)(2n+1)}{6}$

③ $1^3+2^3+3^3+\cdots+n^3=\sum_{k=1}^{n}k^3$
$=\left\{\frac{n(n+1)}{2}\right\}^2$

02 답| ⑤

$\sum_{k=1}^{10}(k+1)^2-\sum_{k=1}^{10}(k-1)^2$

$=\sum_{k=1}^{10}\{(k+1)^2-(k-1)^2\}$

$=\sum_{k=1}^{10}\{k^2+2k+1-(k^2-2k+1)\}$

$=\sum_{k=1}^{10}4k$

$=4\sum_{k=1}^{10}k$

$=4\cdot\frac{10\cdot 11}{2}$

$=220$

03 답| ②

$\sum_{k=1}^{10}(2k+a)=2\sum_{k=1}^{10}k+\sum_{k=1}^{10}a$

$=2\cdot\frac{10\cdot 11}{2}+a\cdot 10$

$=10a+110$

즉 $10a+110=200$이므로 $10a=90$

$\therefore a=9$

04 답| ⑤

$\sum_{k=1}^{5}\frac{1}{k+1}-\sum_{k=1}^{5}\frac{1}{k}$

$=\left(\frac{1}{2}+\frac{1}{3}+\frac{1}{4}+\frac{1}{5}+\frac{1}{6}\right)$
$-\left(1+\frac{1}{2}+\frac{1}{3}+\frac{1}{4}+\frac{1}{5}\right)$

$=\frac{1}{6}-1=-\frac{5}{6}$

다른 풀이

$\sum_{k=1}^{5}\frac{1}{k+1}-\sum_{k=1}^{5}\frac{1}{k}$

$=\sum_{k=1}^{5}\left(\frac{1}{k+1}-\frac{1}{k}\right)$

$=\left(\frac{1}{2}-1\right)+\left(\frac{1}{3}-\frac{1}{2}\right)+\left(\frac{1}{4}-\frac{1}{3}\right)+\left(\frac{1}{5}-\frac{1}{4}\right)$
$+\left(\frac{1}{6}-\frac{1}{5}\right)$

$=-1+\frac{1}{6}$

$=-\frac{5}{6}$

05 답| ④

$\frac{6}{k(k+1)}=\frac{6}{k+1-k}\left(\frac{1}{k}-\frac{1}{k+1}\right)$

$=6\left(\frac{1}{k}-\frac{1}{k+1}\right)$

$\therefore \sum_{k=1}^{5}\frac{6}{k(k+1)}$

$=\sum_{k=1}^{5}6\left(\frac{1}{k}-\frac{1}{k+1}\right)$

$=6\sum_{k=1}^{5}\left(\frac{1}{k}-\frac{1}{k+1}\right)$

$=6\left\{\left(1-\frac{1}{2}\right)+\left(\frac{1}{2}-\frac{1}{3}\right)+\left(\frac{1}{3}-\frac{1}{4}\right)\right.$
$\left.+\left(\frac{1}{4}-\frac{1}{5}\right)+\left(\frac{1}{5}-\frac{1}{6}\right)\right\}$

$=6\left(1-\frac{1}{6}\right)$

$=5$

> **선배의 한마디**
> **분수 꼴인 수열의 합**
> 일반항이 분수 꼴이고 분모가 두 일차식의 곱인 수열의 합은 다음 등식을 이용하여 구한다.
> $\frac{1}{AB}=\frac{1}{B-A}\left(\frac{1}{A}-\frac{1}{B}\right)\ (A\neq B)$

06 답| ④

$\sum_{k=1}^{99}(\sqrt{k+1}-\sqrt{k})$
$=(\sqrt{2}-1)+(\sqrt{3}-\sqrt{2})+(\sqrt{4}-\sqrt{3})+\cdots+(\sqrt{100}-\sqrt{99})$
$=-1+\sqrt{100}$
$=-1+10$
$=9$

07 답| ①

수열 $\{a_n\}$은 첫째항이 10이고 공차가 -1인 등차수열이므로
$a_n=10+(n-1)\cdot(-1)=-n+11$
$\therefore a_{10}=-10+11=1$

08 답| ①

$n=1$을 대입하면 $a_2=\frac{2}{a_1}=\frac{2}{1}=2$
$n=2$를 대입하면 $a_3=\frac{2}{a_2}=\frac{2}{2}=1$
$n=3$을 대입하면 $a_4=\frac{2}{a_3}=\frac{2}{1}=2$
$n=4$를 대입하면 $a_5=\frac{2}{a_4}=\frac{2}{2}=1$

09 답| 현정

$n=1$을 대입하면 $a_2+a_1=1+1=2$이므로
$a_2+1=2 \quad \therefore a_2=1$
$n=2$를 대입하면 $a_3+a_2=2+1=3$이므로
$a_3+1=3 \quad \therefore a_3=2$
$n=3$을 대입하면 $a_4+a_3=3+1=4$이므로
$a_4+2=4 \quad \therefore a_4=2$
따라서 설희와 같은 팀이 되는 학생은 현정이다.

10 답| 15

$n=1$을 대입하면 $a_3=a_2+a_1=2+1=3$
$n=2$를 대입하면 $a_4=a_3+a_2=3+2=5$
따라서 $\alpha=3$, $\beta=5$이므로
$\alpha\beta=3\cdot5=15$

11 답| ④

$n=1$을 대입하면
$a_2=a_1+3=1+3=4$
$n=2$를 대입하면
$a_3=2a_2-1=2\cdot4-1=7$
$n=3$을 대입하면
$a_4=a_3+3=7+3=10$

12 답| 30

$n=1$을 대입하면
$a_2=a_1+3=3+3=6$
$n=2$를 대입하면
$a_3=2a_2=2\cdot6=12$
$n=3$을 대입하면
$a_4=a_3+3=12+3=15$
$n=4$를 대입하면
$a_5=2a_4=2\cdot15=30$

통합 모의고사

8일차 누구나 100점 테스트 1회

1 ②	**2** ③	**3** ②	**4** ①	**5** ③
6 4	**7** ④	**8** ①	**9** ④	**10** 6

1 답| ②

$2^5\times 2^{-3}=2^{5+(-3)}=2^2=4$

선배의 한마디

지수법칙

$a>0$, $b>0$이고 x, y가 실수일 때

① $a^xa^y=a^{x+y}$

② $a^x\div a^y=a^{x-y}$

③ $(a^x)^y=a^{xy}$

④ $(ab)^x=a^xb^x$

2 답| ③

$\log_2 2^3=3\log_2 2=3$

3 답| ②

$$\log_2 3+\log_2\frac{4}{3}=\log_2\left(3\times\frac{4}{3}\right)$$
$$=\log_2 4$$
$$=\log_2 2^2$$
$$=2$$

선배의 한마디

로그의 성질

$a>0$, $a\neq1$, $M>0$, $N>0$일 때

① $\log_a 1=0$, $\log_a a=1$

② $\log_a MN=\log_a M+\log_a N$

③ $\log_a \frac{M}{N}=\log_a M-\log_a N$

④ $\log_a M^k=k\log_a M$ (k는 실수)

4 답| ①

$\log 3.02$의 값은 다음 표에서 3.0의 가로줄과 2의 세로줄이 만나는 곳에 있는 수이다.

$\therefore \log 3.02=0.4800$

수	⋯	2	3	4	⋯
⋮	⋮	⋮	⋮	⋮	⋮
3.0	⋯	.4800	.4814	.4829	⋯
3.1	⋯	.4942	.4955	.4969	⋯
3.2	⋯	.5079	.5092	.5105	⋯
3.3	⋯	.5211	.5224	.5237	⋯

선배의 한마디

상용로그표

상용로그의 값은 상용로그표를 이용하여 구할 수 있다.

즉 다음 표에서

$\log 2.75=0.4393$

수	0	1	⋯	5	6
1.0	.0000	.0043	⋯	.0212	.0253
1.1	.0414	.0453	⋯	.0607	.0645
⋮	⋮	⋮	⋮	⋮	⋮
2.7	.4314	.4330	⋯	.4393	.4409
2.8	.4472	.4487	⋯	.4548	.4564
2.9	.4624	.4639	⋯	.4698	.4713

5 답| ③

$f(1)=7^1+8=15$

따라서 □ 안에 알맞은 수는 15이다.

6 답| 4

함수 $f(x)=\log_2 x$에서 밑 2는 1보다 크므로 함수 $f(x)$는 증가함수이다.

따라서 최댓값은 $x=16$일 때

$f(16)=\log_2 16=\log_2 2^4=4$

7 답| ④

$3^x=81$에서 $3^x=3^4$ $\quad\therefore x=4$

따라서 두 학생은 문 ④를 열고 나가야 한다.

8 답| ①

$\sin\frac{3}{2}\pi=\sin\left(\pi+\frac{\pi}{2}\right)=-\sin\frac{\pi}{2}=-1$

> **선배의 한마디**
>
> ① $\frac{\pi}{2}+\theta$에 대한 삼각함수
>
> $\sin\left(\frac{\pi}{2}+\theta\right)=\cos\theta$
>
> $\cos\left(\frac{\pi}{2}+\theta\right)=-\sin\theta$
>
> $\tan\left(\frac{\pi}{2}+\theta\right)=-\frac{1}{\tan\theta}$
>
> ② $\frac{\pi}{2}-\theta$에 대한 삼각함수
>
> $\sin\left(\frac{\pi}{2}-\theta\right)=\cos\theta$
>
> $\cos\left(\frac{\pi}{2}-\theta\right)=\sin\theta$
>
> $\tan\left(\frac{\pi}{2}-\theta\right)=\frac{1}{\tan\theta}$

9 답| ④

$\sin^2\theta+\cos^2\theta=1$이므로

$\cos^2\theta=1-\sin^2\theta=1-\frac{1}{2}=\frac{1}{2}$

10 답| 6

$-1\le\sin x\le1$이므로 $2\le\sin x+3\le4$

$\therefore 2\le f(x)\le4$

즉 함수 $f(x)=\sin x+3$의 최솟값은 2, 최댓값은 4이므로 $a=2$, $b=4$

$\therefore a+b=2+4=6$

8일차 누구나 100점 테스트 2회

1 ⑤	**2** ②	**3** 21	**4** ⑤	**5** ⑤
6 ③	**7** 3	**8** 16	**9** ②	**10** 11

1 답| ⑤

함수 $f(x)=2\sin x$의 주기는 2π이므로

$a=2$

$f\left(\frac{\pi}{6}\right)=2\sin\frac{\pi}{6}=2\cdot\frac{1}{2}=1$이므로

$b=1$

$\therefore ab=2\cdot1=2$

2 답| ②

$2\cos x-\sqrt{3}=0$에서 $2\cos x=\sqrt{3}$

$\therefore \cos x=\frac{\sqrt{3}}{2}$

$0\le x\le\pi$일 때, 함수 $y=\cos x$의 그래프와 직선 $y=\frac{\sqrt{3}}{2}$은 다음 그림과 같으므로 구하는 해는

$x=\frac{\pi}{6}$

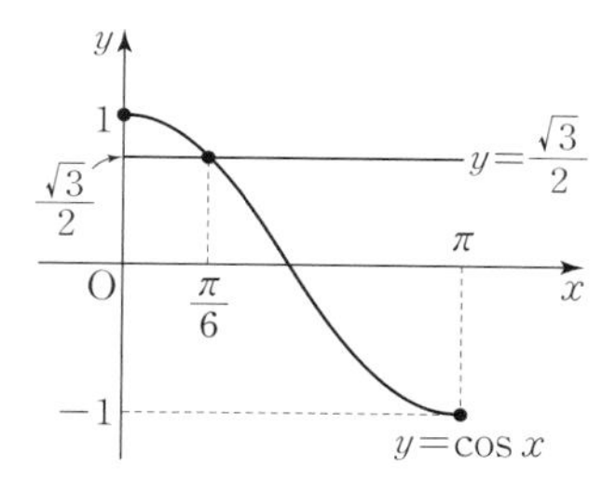

3 답| 21

$\frac{b}{\sin B}=2R$이므로 $\frac{b}{\frac{7}{10}}=2\cdot15=30$

$\therefore b=30\cdot\frac{7}{10}=21$

선배의 한마디

사인법칙

삼각형 ABC의 외접원의 반지름의 길이를 R라 하면

$\frac{a}{\sin A}=\frac{b}{\sin B}=\frac{c}{\sin C}=2R$

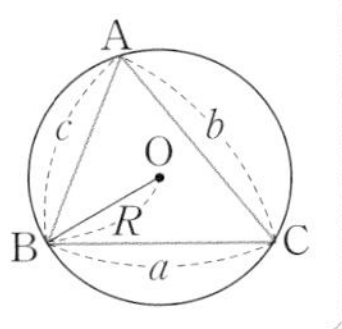

4 답| ⑤

$d=a_3-a_2=4-2=2$

선배의 한마디

등차수열의 공차

등차수열 $\{a_n\}$의 공차를 d라 하면

$d=a_2-a_1=a_3-a_2=a_4-a_3=\cdots$

5 답| ⑤

$a_n=1+(n-1)\cdot 2=2n-1$이므로

$a_3=2\cdot 3-1=5$

선배의 한마디

등차수열의 일반항

첫째항이 a이고 공차가 d인 등차수열 $\{a_n\}$의 일반항 a_n은

$a_n=a+(n-1)d\ (n=1, 2, 3, \cdots)$

6 답| ③

$a_3=a_2\cdot 2=3\cdot 2=6$

7 답| 3

$a_2=a_1\cdot 3$이므로 $9=3a_1$ $\quad\therefore a_1=3$

8 답| 16

세 수 $2, a, 6$이 이 순서대로 등차수열을 이루므로

$a=\frac{2+6}{2}=4$

세 수 $3, 6, b$가 이 순서대로 등비수열을 이루므로

$6^2=3b$ $\quad\therefore b=12$

$\therefore a+b=4+12=16$

선배의 한마디

① 등차중항

세 수 a, b, c가 이 순서대로 등차수열을 이룬다.

⇨ $b-a=c-b$이므로 $b=\frac{a+c}{2}$

② 등비중항

0이 아닌 세 수 a, b, c가 이 순서대로 등비수열을 이룬다.

⇨ $\frac{b}{a}=\frac{c}{b}$이므로 $b^2=ac$

9 답| ②

$\sum_{k=1}^{10}2a_k=2\sum_{k=1}^{10}a_k=2\cdot 4=8$

10 답| 11

$n=1$을 대입하면

$a_2=a_1+5=1+5=6$

$n=2$를 대입하면

$a_3=a_2+5=6+5=11$

다른 풀이

수열 $\{a_n\}$은 첫째항이 1이고 공차가 5인 등차수열이므로 $a_n=1+(n-1)\cdot 5=5n-4$

$\therefore a_3=5\cdot 3-4=11$

9일차 수능 기초 예상 문제 1회

1 ⑤	**2** ②	**3** ④	**4** ④	**5** ①
6 ②	**7** ④	**8** ④	**9** ③	**10** ④
11 ②	**12** 8	**13** ②	**14** ②	**15** ①
16 ③	**17** 19			

1 답| ⑤

$(\sqrt[3]{5})^3=5$이므로 $(\sqrt[3]{5})^3$의 값을 옳게 적은 학생은 인영이다.

2 답| ②

$\log_4\sqrt{64}=\log_4\sqrt{4^3}=\log_4 4^{\frac{3}{2}}=\frac{3}{2}\log_4 4=\frac{3}{2}$

3 답| ④

$(\sqrt[5]{3})^n=3^{\frac{n}{5}}$이므로 $3^{\frac{n}{5}}$이 자연수가 되려면 $\frac{n}{5}$은 0 또는 자연수이어야 한다.

즉 n은 0 또는 5의 배수이어야 하므로

$n=0, 5, 10, 15, \cdots$

이때 $1\le n\le 20$이므로 $n=5, 10, 15, 20$

따라서 n의 개수는 4이다.

> **선배의 한마디**
>
> $a>0$이고 $m, n(n\ge 2)$이 정수일 때
>
> ① $a^{\frac{m}{n}}=\sqrt[n]{a^m}$
>
> ② $a^{\frac{1}{n}}=\sqrt[n]{a}$

4 답| ④

함수 $f(x)=5^{x-1}+2$에서 밑 5는 1보다 크므로 함수 $f(x)$는 증가함수이다.

따라서 최댓값은 $x=3$일 때

$f(3)=5^2+2=25+2=27$

5 답| ①

$2^{x-2}\le 4$에서 $2^{x-2}\le 2^2$

이때 밑 2는 1보다 크므로

$x-2\le 2 \qquad \therefore x\le 4$

따라서 자연수 x는 1, 2, 3, 4이므로 그 합은

$1+2+3+4=10$

6 답| ②

함수 $y=\log_2 x$의 그래프를 x축의 방향으로 2만큼, y축의 방향으로 1만큼 평행이동한 그래프의 식은

$y=\log_2(x-2)+1$

이 그래프가 점 $(6, k)$를 지나므로

$k=\log_2 4+1=\log_2 2^2+1$

$=2+1=3$

> **선배의 한마디**
>
> **로그함수의 그래프의 평행이동**
>
> 로그함수 $y=\log_a x$의 그래프를 x축의 방향으로 m만큼, y축의 방향으로 n만큼 평행이동하면
>
> $y-n=\log_a(x-m) \Rightarrow y=\log_a(x-m)+n$

7 답| ④

함수 $y=\log_3(x+2)$의 그래프의 점근선의 방정식은 $x+2=0$에서 $x=-2$

$x=-2$를 $y=2^{x+5}-1$에 대입하면

$y=2^3-1=8-1=7$

따라서 구하는 점의 좌표는 $(-2, 7)$이므로 희연이가 가입하려는 동아리는 ④이다.

8 답| ④

부채의 호의 길이는

$10\cdot\frac{2}{5}\pi=4\pi$

9 답| ③

$\cos\left(\frac{\pi}{2}+\theta\right)=-\sin\theta=-\frac{1}{3}$

10 답| ④

$-1\le\sin x\le1$이므로 $-2\le2\sin x\le2$

$\therefore\ -2+a\le2\sin x+a\le2+a$

즉 함수 $f(x)$의 최솟값이 $-2+a$이므로

$-2+a=-1\qquad\therefore\ a=1$

따라서 함수 $f(x)$의 최댓값 b는

$b=2+a=2+1=3$

$\therefore\ a+b=1+3=4$

11 답| ②

$x+\frac{\pi}{6}=t$라 하면

$0\le x\le\frac{\pi}{2}$에서 $\frac{\pi}{6}\le x+\frac{\pi}{6}\le\frac{\pi}{2}+\frac{\pi}{6}$

$\therefore\ \frac{\pi}{6}\le t\le\frac{2}{3}\pi$

즉 주어진 방정식은 $\cos t=\frac{1}{2}\left(\frac{\pi}{6}\le t\le\frac{2}{3}\pi\right)$이므로

$t=\frac{\pi}{3}$

따라서 $x+\frac{\pi}{6}=\frac{\pi}{3}$이므로 $x=\frac{\pi}{6}$

12 답| 8

외접원의 반지름의 길이를 R라 하면

사인법칙에 의하여 $\frac{8}{\sin\frac{\pi}{6}}=2R$

$\frac{8}{\frac{1}{2}}=2R,\ 16=2R\qquad\therefore\ R=8$

따라서 삼각형 ABC의 외접원의 반지름의 길이는 8이다.

선배의 한마디

사인법칙

삼각형 ABC의 외접원의 반지름의 길이를 R라 하면

$\frac{a}{\sin A}=\frac{b}{\sin B}=\frac{c}{\sin C}=2R$

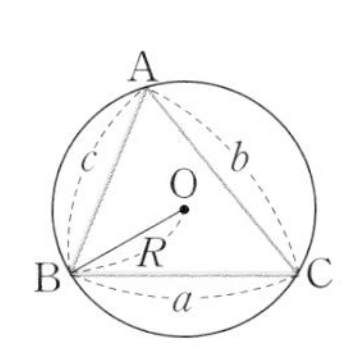

13 답| ②

$a=5,\ c=6$이므로 $\overline{AC}=b$라 하면 코사인법칙에 의하여

$b^2=c^2+a^2-2ca\cos B$

$=6^2+5^2-2\cdot6\cdot5\cdot\cos\frac{\pi}{3}$

$=36+25-60\cdot\frac{1}{2}$

$=61-30$

$=31$

$\therefore\ b=\sqrt{31}\ (\because\ b>0)$

따라서 $\overline{AC}$의 길이는 $\sqrt{31}$이다.

14 답| ②

$a_n=9+(n-1)\cdot(-2)=-2n+11$이므로

$a_3=-2\cdot3+11=5$

15 답| ①

$\sum_{k=1}^{10}(2a_k-b_k)=2\sum_{k=1}^{10}a_k-\sum_{k=1}^{10}b_k=2\cdot18-\sum_{k=1}^{10}b_k=20$

$\therefore \sum_{k=1}^{10}b_k=36-20=16$

> **선배의 한마디**
>
> **∑의 성질**
>
> 두 수열 $\{a_n\}$, $\{b_n\}$과 상수 c에 대하여
>
> ① $\sum_{k=1}^{n}(a_k+b_k)=\sum_{k=1}^{n}a_k+\sum_{k=1}^{n}b_k$
>
> ② $\sum_{k=1}^{n}(a_k-b_k)=\sum_{k=1}^{n}a_k-\sum_{k=1}^{n}b_k$
>
> ③ $\sum_{k=1}^{n}ca_k=c\sum_{k=1}^{n}a_k$
>
> ④ $\sum_{k=1}^{n}c=cn$

16 답| ③

$a_n=S_n-S_{n-1}\ (n\geq2)$이므로

$a_3=S_3-S_2=(2^5-4)-(2^4-4)$

$=28-12=16$

따라서 □ 안에 알맞은 수는 16이다.

> **선배의 한마디**
>
> **수열의 합과 일반항의 관계**
>
> 수열 $\{a_n\}$의 첫째항부터 제n항까지의 합을 S_n이라 하면
>
> $a_1=S_1,\ a_n=S_n-S_{n-1}\ (n\geq2)$

17 답| 19

$n=1$을 대입하면

$a_2=2a_1+1=2\cdot4+1=9$

$n=2$를 대입하면

$a_3=2a_2+1=2\cdot9+1=19$

10일차 수능 기초 예상 문제 2회

1 ⑤	2 ③	3 ④	4 ④	5 ③
6 ④	7 ②	8 ⑤	9 ②	10 ①
11 ③	12 ②	13 ④	14 ①	15 ③
16 ③	17 8			

1 답| ⑤

$4^{\frac{3}{2}}\times2^{-1}=(2^2)^{\frac{3}{2}}\times2^{-1}$

$=2^3\times2^{-1}$

$=2^{3+(-1)}$

$=2^2$

$=4$

2 답| ③

경현이와 미진이가 들고 있는 카드에 적혀 있는 수의 합은

$\log5+\log20=\log(5\times20)$

$=\log100$

$=\log10^2$

$=2\log10$

$=2$

3 답| ④

(진수)>0이어야 하므로

$5-x>0\qquad\therefore x<5$

따라서 자연수 x는 1, 2, 3, 4로 그 개수는 4이다.

> **선배의 한마디**
>
> $\log_a N$이 정의되려면
>
> ① 밑의 조건: $a>0,\ a\neq1$
>
> ② 진수의 조건: $N>0$

4 답| ④

$\left(\frac{1}{3}\right)^{-x}=27$에서 $(3^{-1})^{-x}=3^3$

$3^x=3^3$ $\quad\therefore x=3$

5 답| ③

함수 $f(x)=\log_3(x+5)-2$에서 밑 3은 1보다 크므로 함수 $f(x)$는 증가함수이다.

따라서 최댓값은 $x=4$일 때

$f(4)=\log_3 9-2=\log_3 3^2-2=2-2=0$

> **선배의 한마디**
>
> **로그함수의 최대·최소**
>
> 정의역이 $\{x|m\le x\le n\}$인 로그함수 $y=\log_a x$는
>
> ① $a>1$이면
>
> $x=m$일 때 최솟값 $\log_a m$
>
> $x=n$일 때 최댓값 $\log_a n$
>
> ② $0<a<1$이면
>
> $x=m$일 때 최댓값 $\log_a m$
>
> $x=n$일 때 최솟값 $\log_a n$

6 답| ④

함수 $f(x)=2^{x+1}+a$의 그래프의 점근선의 방정식은 $y=a$이므로 $a=-3$

따라서 $f(x)=2^{x+1}-3$이므로

$f(2)=2^3-3=8-3=5$

7 답| ②

진수의 조건에서 $x+2>0$, $3x-10>0$

$\therefore x>\frac{10}{3}$ $\quad\cdots\cdots$ ㉠

$\log_2(x+2)\ge\log_2(3x-10)$에서 밑 2는 1보다 크므로 $x+2\ge 3x-10$

$-2x\ge -12$ $\quad\therefore x\le 6$ $\quad\cdots\cdots$ ㉡

㉠, ㉡의 공통 범위를 구하면

$\frac{10}{3}<x\le 6$

따라서 정수 x는 4, 5, 6으로 그 개수는 3이다.

8 답| ⑤

함수 $f(x)=\left(\frac{1}{3}\right)^{x-a}$에서 밑 $\frac{1}{3}$은 1보다 작은 양수이므로 함수 $f(x)$는 감소함수이다.

따라서 $x=4$일 때, 최솟값 3을 가지므로

$f(4)=\left(\frac{1}{3}\right)^{4-a}=3$, $3^{a-4}=3$

$a-4=1$ $\quad\therefore a=5$

9 답| ②

$\cos\frac{3}{4}\pi=\cos\left(\pi-\frac{\pi}{4}\right)=-\cos\frac{\pi}{4}=-\frac{\sqrt{2}}{2}$

따라서 계산기에 나타나는 값은 $-\frac{\sqrt{2}}{2}$이다.

다른 풀이

$\cos\frac{3}{4}\pi=\cos\left(\frac{\pi}{2}+\frac{\pi}{4}\right)=-\sin\frac{\pi}{4}=-\frac{\sqrt{2}}{2}$

따라서 계산기에 나타나는 값은 $-\frac{\sqrt{2}}{2}$이다.

> **선배의 한마디**
>
> ① $\pi+\theta$에 대한 삼각함수
>
> $\sin(\pi+\theta)=-\sin\theta$
>
> $\cos(\pi+\theta)=-\cos\theta$
>
> $\tan(\pi+\theta)=\tan\theta$
>
> ② $\pi-\theta$에 대한 삼각함수
>
> $\sin(\pi-\theta)=\sin\theta$
>
> $\cos(\pi-\theta)=-\cos\theta$
>
> $\tan(\pi-\theta)=-\tan\theta$

10 답| ①

함수 $y=a\cos x+b$의 최솟값이 -1이므로

$-a+b=-1$ ...... ㉠

함수 $y=a\cos x+b$의 최댓값이 3이므로

$a+b=3$ ...... ㉡

㉠, ㉡을 연립하여 풀면

$a=2,\ b=1$

$\therefore ab=2\cdot1=2$

다른 풀이

$-1\le\cos x\le1$이므로 $-a\le a\cos x\le a$

$\therefore -a+b\le a\cos x+b\le a+b$

최솟값은 $-a+b$이므로

$-a+b=-1$ ...... ㉠

최댓값은 $a+b$이므로

$a+b=3$ ...... ㉡

㉠, ㉡을 연립하여 풀면

$a=2,\ b=1$

$\therefore ab=2\cdot1=2$

11 답| ③

함수 $y=k\sin\left(x+\frac{\pi}{2}\right)+3$의 그래프가 점 $\left(\frac{\pi}{3},\ 5\right)$를 지나므로 $5=k\sin\left(\frac{\pi}{3}+\frac{\pi}{2}\right)+3$

$5=k\cos\frac{\pi}{3}+3,\ 5=\frac{k}{2}+3$

$2=\frac{k}{2}$ $\therefore k=4$

12 답| ②

삼각형 ABC의 넓이가 $\sqrt{10}$이므로

$\frac{1}{2}\cdot5\cdot2\cdot\sin A=\sqrt{10}$

$5\sin A=\sqrt{10}$ $\therefore \sin A=\frac{\sqrt{10}}{5}$

$\therefore 5\sin^2 A=5\cdot\left(\frac{\sqrt{10}}{5}\right)^2=2$

선배의 한마디

삼각형의 넓이

삼각형 ABC의 넓이를 S라 하면

$S=\frac{1}{2}bc\sin A$

$=\frac{1}{2}ca\sin B$

$=\frac{1}{2}ab\sin C$

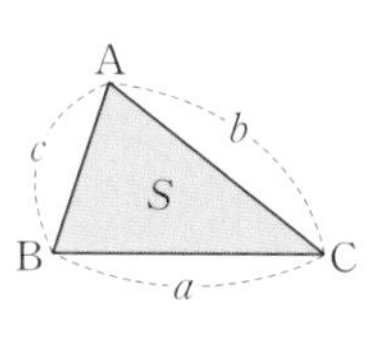

13 답| ④

$a_n=a+(n-1)d$이므로

$a_2=a+d=5,\ a_5=a+4d=11$

위의 두 식을 연립하여 풀면

$a=3,\ d=2$

$\therefore ad=3\cdot2=6$

14 답| ①

첫째항을 a라 하면 $a_n=a\cdot2^{n-1}$

$a_2=2a=-2$이므로 $a=-1$

따라서 $a_n=-2^{n-1}$이므로

$a_5=-2^4=-16$

선배의 한마디

등비수열의 일반항

첫째항이 a이고 공비가 $r(r\neq0)$인 등비수열 $\{a_n\}$의 일반항 a_n은

$a_n=ar^{n-1}\ (n=1,\ 2,\ 3,\ \cdots)$

15 답| ③

$$\sum_{k=1}^{10}(k+1)^2-\sum_{k=1}^{10}(k^2+2)$$
$$=\sum_{k=1}^{10}\{(k+1)^2-(k^2+2)\}$$
$$=\sum_{k=1}^{10}(k^2+2k+1-k^2-2)$$
$$=\sum_{k=1}^{10}(2k-1)$$
$$=2\sum_{k=1}^{10}k-\sum_{k=1}^{10}1$$
$$=2\cdot\frac{10(10+1)}{2}-1\cdot10$$
$$=110-10$$
$$=100$$

16 답| ③

$$S_{10}=\frac{10(a_1+a_{10})}{2}=\frac{10(1+19)}{2}=100$$

선배의 한마디

등차수열의 합

등차수열의 첫째항부터 제n항까지의 합 S_n은

① 첫째항이 a, 제n항이 l일 때

$$S_n=\frac{n(a+l)}{2}$$

② 첫째항이 a, 공차가 d일 때

$$S_n=\frac{n\{2a+(n-1)d\}}{2}$$

17 답| 8

$n=1$을 대입하면

$a_2=1\cdot a_1+1^2=1+1=2$

$n=2$를 대입하면

$a_3=2a_2+2^2=2\cdot2+4=8$

memo

◀ 정답은 이안에 있어 !